Lèche-vitrines

Catalogage avant publication de Bibliothèque et Archives nationales du Québec et Bibliothèque et Archives Canada

Beauchesne, Sarah-Maude, 1989-

Lèche-vitrines

Pour les jeunes de 14 ans et plus.

ISBN 978-2-89723-757-8

I. Titre.

PS8603.E282L42 2016 jC843'.6 C2015-942152-7
PS9603.E282L42 2016

Les Éditions Hurtubise bénéficient du soutien financier du gouvernement du Québec par l'entremise du programme de crédit d'impôt pour l'édition de livres et de la Société de développement des entreprises culturelles du Québec (SODEC). L'éditeur remercie également le Conseil des arts du Canada de l'aide accordée à son programme de publication.

Financé par le gouvernement du Canada
Funded by the Government of Canada | Canada

Illustration de la couverture : Dorian Danielsen
Graphisme : René St-Amand
Mise en pages : Martel en-tête

ISBN 978-2-89723-757-8 (version imprimée)
ISBN 978-2-89723-758-5 (version numérique pdf)
ISBN 978-2-89723-759-2 (version numérique ePub)

Dépôt légal : 1er trimestre 2016

Bibliothèque et Archives nationales du Québec
Bibliothèque et Archives Canada

Diffusion-distribution au Canada :
Distribution HMH
1815, avenue De Lorimier
Montréal (Québec) H2K 3W6
www.distributionhmh.com

Diffusion-distribution en Europe :
Librairie du Québec/DNM
30, rue Gay-Lussac
75005 Paris FRANCE
www.librairieduquebec.fr

Imprimé au Canada

www.editionshurtubise.com

Sarah-Maude Beauchesne

Lèche-vitrines

Hurtubise

De la même auteure

Cœur de slush, roman, Montréal, Hurtubise, 2014.

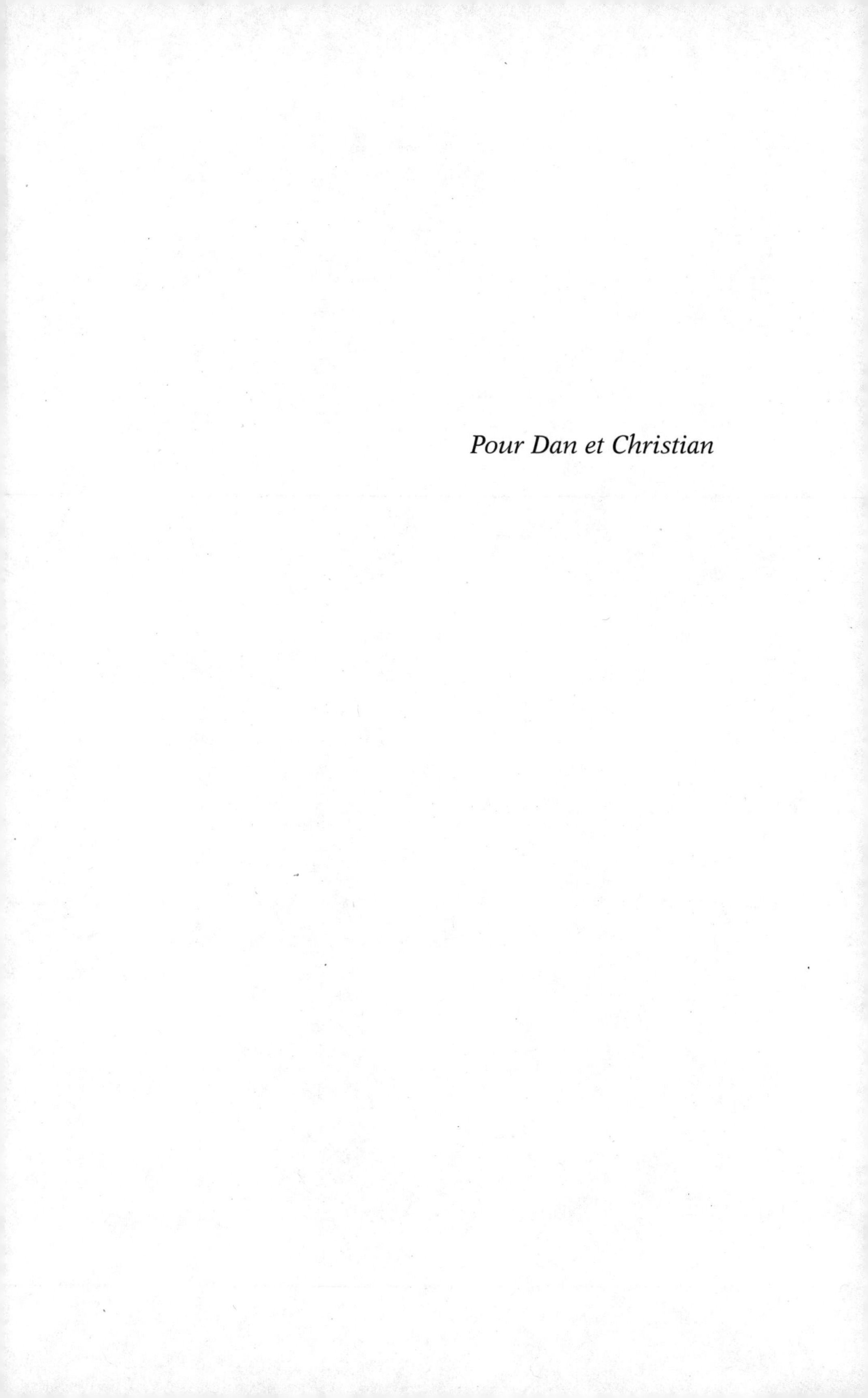

Pour Dan et Christian

Prologue

Je prends ma douche avec des gougounes ces temps-ci. C'est loin d'être crotté, mais chaque fois que je me lave ailleurs que chez moi, mes pieds ne veulent rien savoir de se baigner tout nus. Je m'ennuie de ma belle grande salle de bain qui sentait toujours mon shampoing à la noix de coco.

Je suis plus blanche que jamais, l'hiver ne me va pas bien. Je suis pas mal moins belle quand il fait froid. J'ai la peau des coudes qui craque et le bout du nez rouge en permanence. Le miroir est tellement minuscule, tellement embué que je ne vois même pas mes seins dans mon reflet. Ils sont aussi petits qu'avant, alors c'est pas si grave. Je marche sur la pointe des pieds, le carrelage aussi me dégoûte un peu, puis j'étends ma serviette au sol pour donner un *break* à mes orteils.

Mon père m'appelle tous les soirs ou presque et essaie de me raisonner, de me rassurer ; il dit que je vais m'habituer, que je vais me faire à l'idée et que la salle de bain va bientôt cesser de m'écœurer. J'ai l'impression que ça va être long. Ça fait déjà trois semaines que j'habite à Montréal et mes dessous de pieds font toujours la grève. Je ne me sens pas vraiment chez moi. J'ai hâte que ça se règle. Dans un an, peut-être ? Ou dans quelques semaines, si je suis chanceuse et que la Vie est fine avec moi.

La nouvelle vie d'appartement, c'est angoissant par moments, surtout quand je dois prendre une douche dans une salle de bain que je n'ai pas eu le temps d'apprivoiser. C'est comme une obsession ; tout doit être bien propre et bien blanc pour que je me sente à l'aise. Sinon, j'ai beau me savonner pendant une demi-heure, ça ne sert à rien, je me sens toujours sale.

Ma mère est revenue de son (trop) long voyage aux Bahamas il y a deux mois de ça. Elle devait être tannée de tresser les cheveux des touristes. Je venais tout juste de vivre mon premier grand été ; j'étais tombée en amour, j'avais fait l'amour, j'avais goûté à la mélancolie et tout. J'avais le cœur à vif, ça m'a secouée de la revoir. Je n'étais pas vraiment prête, finalement. Elle est apparue sur la véranda pleine de neige de la maison familiale le 1er décembre, sans avertir, un peu comme je l'avais toujours imaginé.

Mon père n'a pas souri en l'apercevant. Sans dire un mot, il a pris ses valises, les a posées dans le salon et m'a demandé de monter dans ma chambre. Je n'ai même pas eu envie de la serrer fort à ce moment-là. J'ai seulement remarqué son gros coup de soleil sur le nez. J'aurais aimé mieux voir des étoiles dans ses yeux, mais ils ne brillaient pas.

Je suis montée sans l'embrasser et j'ai attendu longtemps. J'entendais l'écho de leur voix, mais je ne pouvais pas suivre leur conversation. Ma mère pleurait, mon père non. Ça m'a étonnée sur le coup. Mon père a la larme facile, d'habitude. Puis elle a crié : « Bye, mon pitou ! » pour que je l'entende bien, et elle est repartie avec ses valises.

Elle n'a jamais remis les pieds dans notre maison pleine de souvenirs tellement beaux qu'ils me font mal en dedans.

Après sa visite crève-cœur, mon père a passé les vacances de Noël à jouer à des jeux vidéo. Annette et moi, on l'entendait faire la guerre jusque dans nos chambres. On avait tous les trois le cœur aussi lourd qu'un rocher ; on se parlait peu, on commandait souvent des sushis, papa oubliait de sortir les poubelles, ça sentait le vieux poisson dans notre grande maison. Pour éviter de nous torturer avec la peine de notre père, ma sœur et moi, on inventait des recettes de biscuits aux pépites de chocolat, on lisait des bandes dessinées, on regardait de vieux albums photo avec les yeux pleins d'eau. Je voulais profiter de sa présence pour éponger ma tristesse, pour emmagasiner du courage, j'avais besoin d'elle pour me distraire. Son retour à l'université m'angoissait, j'avais peur de me ramasser toute seule avec mon père en mille morceaux.

Je ne voudrais pas revivre ça. C'étaient les moments les plus tristes de toute ma courte vie. Une tragédie dans mon cœur. La famille qui se brise, la mère qui regrette, le père qui a mal, les enfants pris entre les deux ; c'est dur sur le bonheur d'une ado. L'amour à leur âge, c'est compliqué, on dirait. Quand ça va mal, c'est du vrai de vrai drame.

Je me trouve chanceuse d'avoir dix-huit ans. Je me sens encore légère, par rapport à l'amour.

Pierre est parti en Australie pédaler sa vie au début de l'hiver, ça a coupé court à notre histoire. Moi, je suis dans la grande ville maintenant, loin de tout ce qui pourrait me faire penser à lui, loin du dépanneur et de sa slush à la framboise bleue, de la montagne, de son chalet de gars, de la brasserie, de ses amis, de Daphné aussi, qui pourrait vouloir me donner de ses nouvelles ou me rappeler qu'elle m'avait bien prévenue. C'est sûr que j'ai une cicatrice bien apparente sur la fesse gauche de mon cœur, le temps passe tellement lentement. Mais ça guérit, je le sens.

C'est beau le corps humain pour des affaires comme ça.

Après le Noël le plus triste du monde, j'ai essayé de consoler mon père avec des blagues et des attentions maladroites, mais ça ne fonctionnait pas vraiment. Pour ne pas lui faire mal, je téléphonais à ma mère en cachette, je prenais de ses nouvelles, tout doucement, prudemment. Je ne l'appelais pas souvent, car j'avais peur de m'emballer trop vite.

La session d'hiver au cégep approchait. La maison m'étouffait, les souvenirs me hantaient, ma famille brisée me faisait mal. Je ne me sentais plus chez moi, ça sentait trop la tristesse cachée, la colère refoulée et les questions existentielles sans réponse. Il fallait que je parte. J'étais essoufflée de chercher de l'air qui me réchaufferait le cœur.

Alors le jour de mes dix-huit ans, au tout début de janvier, j'ai demandé à mon père si je pouvais m'en aller. Il a répondu :

— T'en aller où ?

J'ai précisé :

— À Montréal.

Et il a souri avec ses yeux.

Il comprend toujours. Ça fait du bien.

Je suis donc allée retrouver ma sœur Annette et ma mère qui s'était réfugiée chez elle après l'épisode de la véranda enneigée. Depuis, on habite toutes les trois ensemble. Annette et moi, on a de la difficulté à s'habituer à sa présence. J'étouffe encore. Mais il faut que je trouve le moyen d'être bien, que je trouve du réconfort quelque part. Sinon le temps va être long.

De son côté, mon père s'est fait une blonde. C'est tout récent. J'ai vu une photo d'elle sur Facebook, elle avait une marguerite dans les cheveux. Je hais les marguerites, c'est de la mauvaise herbe. Dans un moment de solitude, il a donné son numéro de téléphone à une conseillère de la SAQ qui avait l'air fine. Il ne m'en parle pas beaucoup parce qu'il sait que c'est trop tôt pour moi. Je ne suis pas sûre qu'il soit vraiment heureux, mais il joue moins aux jeux vidéo et il cuisine plus. C'est bon signe.

On a commencé à s'écrire des courriels depuis que je suis déménagée. Ce matin, j'ai reçu celui-là :

Allô, ma Billie Fay nationale,

Fais-tu toujours la grève de la douche ? J'espère que non. C'est important de passer par-dessus ses petites peurs d'enfant gâté. Parce que oui, t'es une enfant gâtée, mais avec un cœur gros comme ça, alors ça s'annule.

Comment va ta mère ? (Sois douce avec elle, le plus que tu peux en tout cas.) Et ta sœur ?

Et ton cœur à toi, il sourit ou pas ? Ouvre tes horizons, parle aux gens autour de toi, dégêne-toi, pose des questions, bouge, prends de l'air souvent, respire par le nez.

Ça va bien aller,

Ton papa qui t'aime

Moi, je suis loin d'être philosophe comme mon père, alors je lui ai répondu :

Yo papa !

Ça va, même si je prends encore ma douche avec mes gougounes. Annette va bien aussi, maman est correcte.

Y neige.

Je t'aime,

Billie

Je n'avais pas envie de préciser davantage ma pensée, il lira entre les lignes en attendant que je me dégourdisse dans l'art du courriel.

Chapitre I

Becs de DJ

Ma mère porte un ensemble de sport coloré, on peut voir ses jambes musclées et les taches de rousseur qui couvrent ses mollets et ses genoux. Elle est assise en Indien sur le comptoir et observe les décorations sur les murs de la cuisine. Moi, je mange des céréales qui ramollissent trop vite.

— Billie, t'es sûre que c'est ça que tu veux pour la cuisine ? Y me semble que c'est un peu intense...

— Oui, j'suis sûre. Y a rien de mieux que des cupcakes géants en carton pour égayer une pièce.

— OK...

— Ça donne faim pis c'est coloré. C'est parfait.

— Bon... Je vais m'habituer.

On est loin de notre belle maison de campagne, mais les gâteaux en carton me font sourire. Ma mère avait promis que j'aurais mon mot à dire sur la déco de notre nouvel appartement. Celui d'Annette était trop petit pour qu'on y habite toutes les trois, alors on s'est trouvé un grand 6 ½ sur le Plateau. C'est mon père qui paie notre part, à Annette et moi. Il dit que ça va nous éviter de stresser pour autre chose que pour ce qui est vraiment important: renouer avec notre mère et réussir à l'école.

Ma chambre est toute blanche, à part ma collection de coussins en forme de plein de choses (de hamburger, de nuage, de bouche rouge, de cornet de crème glacée à deux boules) qui trône sur mon nouveau lit IKEA. La salle de bain est turquoise mer des Caraïbes (pour ne pas dire turquoise comme les yeux de Pierre). La chambre d'Annette est tellement en bordel qu'on ne voit même pas le plancher. Les *posters* de groupes rock sur les murs lui donnent des airs de jeune femme fâchée, mais c'est juste pour faire cool. Elle n'écoute même pas de musique rock, sa chanteuse préférée ces temps-ci, c'est Beyoncé. Aucun rapport.

Elle a vraiment l'air bête depuis que ma mère est revenue. Elle ne sourit jamais, elle se fâche pour tout, elle crie de rage si j'ai le malheur d'ouvrir la porte de sa chambre sans frapper. C'est dur sur l'humeur de tout le monde. L'atmosphère est lourde, on dirait que l'appartement est plein de tristesse et de rancune. C'est bizarre.

Ce matin, ma mère prend l'autobus avec moi parce qu'elle travaille au centre sportif tout près du cégep. Elle donne des cours de Zumba, elle fait danser les madames; ça les essouffle ben gros y paraît. Je pense qu'elle est payée en *shakes* protéinés et en espadrilles Reebok. C'est ambigu, sa nouvelle job.

Après mon bol de céréales matinal et notre conversation polie sur la déco de l'appart, on descend s'acheter un grand *latte* au café d'en bas, puis on saute dans l'autobus bondé de gens encore endormis. On est mal à l'aise quand on se retrouve seules toutes les deux. Nos mots vont se dégêner avec le temps, j'imagine.

Ma mère a les yeux dans l'eau en permanence depuis qu'elle est revenue. Je me suis habituée, je n'ai plus peur qu'elle éclate en sanglots. Elle ne le fait jamais, de toute façon. Elle reste calme et trempe ses billes du même vert que le mien dans les larmes à longueur de journée. C'est plus fort qu'elle, on dirait. Ce doit être la culpabilité d'être partie, puis d'être revenue qui lui grignote le cœur.

Coincée à côté de moi sur la banquette du fond, elle pose sa main qui vieillit sur la mienne et brise notre silence.

— Ta sœur te fait pas trop la vie dure? Faut marcher sur des œufs avec elle ces temps-ci…

— Non, c'est correct. Au moins, elle m'emprunte plus trop mon linge, ça fait mon affaire.

— Elle arrive tard, sa crise d'adolescence, j'trouve. Elle aurait pu la *skipper*...

— On peut pas *skipper* ça.

Ma mère sourit tristement, parce que c'est son seul sourire en ce moment. Je prends une longue gorgée de café au lait pour clore la conversation, même si ça me brûle la gorge. On a tous droit à notre crise d'adolescence, je pense. D'ailleurs, je suis encore dedans, non ?

L'autobus s'arrête au coin de la rue Sherbrooke. Ma mère se lève, me donne un bec sur le front et sort. Je descends trois arrêts plus loin.

Ça grouille d'étudiants, ça sent le café et la pizza. Le cégep est beige, presque brun, comme en banlieue. La ville ne l'a pas coloré comme je l'avais imaginé. Au moins, il est bien entouré : en face, il y a un bar où on sert des *drinks* dans des pots Mason ; à gauche, un autre bar où personne n'a le droit de faire des demandes spéciales au DJ ; à droite, un café où je vais sûrement passer beaucoup de temps à magasiner en ligne sans rien acheter. J'y vais tous les jours depuis une semaine ; les bagels sont chauds et les commis ont l'air sincères quand ils me sourient. C'est un endroit qui me donne envie d'apprivoiser la ville.

Je dois rejoindre Rosine et Juliette à la cafétéria. On a une bonne heure à tuer avant notre premier cours du matin. Moi, c'est philo, elles, c'est bio ; moi, ça ne me tente pas, elles, elles sont folles de joie.

J'aperçois Rosine de loin. Elle m'attend déjà avec un jus d'orange et sûrement une anecdote sur son partenaire de labo qui l'a demandée en mariage lundi dernier. On ne sait toujours pas si c'était une blague, c'est mystérieux, et ça se demande mal de toute façon. Faudrait pas lui briser le cœur trop tôt dans la session, il mérite mieux que ça.

Rosine est plus belle et plus drôle que tout le monde, mais ça ne me dérange pas. Elle gère bien ça. Ses cheveux sont épais, brillants et parfaitement bruns, et ses cils sont longs comme ceux d'un animal très gracieux et très, très attachant. C'est mon amie depuis le début de notre secondaire deux. On s'était retrouvées dans une classe d'art dramatique parce qu'il n'y avait plus de place en journalisme. On était trop gênées pour participer aux ateliers de théâtre, alors on allait se cacher dans les locaux vides de l'école et on écrivait des lettres à des garçons qui n'existaient pas en mangeant des rouleaux aux fruits.

Je me suis ennuyée d'elle l'automne dernier, je suis contente qu'elle soit là avec son jus d'orange et ses histoires de mariage. Ça me fait oublier qu'on s'est perdues de vue pendant un petit bout de temps.

Je m'approche d'elle et lui donne un bec sur le toupet. Ça sent les mûres sauvages. Elle porte le même parfum depuis longtemps, c'est sa signature.

— Yo, Rosine, vas-tu te marier, finalement ? As-tu dit oui ?

— On fait ça c't'été ! Grosse cérémonie, pis toute !

— Juliette pis moi, on est tes demoiselles d'honneur, j'imagine.

— En plein ça.

— J'ai hâte !

— Moi *too* !

On frappe nos jus d'orange l'un contre l'autre pour faire un *tchin* matinal. On rit un peu, mais pas trop. Il est trop tôt pour s'énerver.

Rosine brise des cœurs depuis longtemps. C'est à cause de ses yeux, de ses cheveux, de sa bouche et de ses blagues vraiment drôles, de son amour pour le soccer et le beau linge, aussi. Elle est la fille parfaite, mais pas gossante d'être parfaite.

Son téléphone vibre ; un message texte de Juliette. Elle répond tout de suite en pitonnant à toute vitesse, comme une professionnelle du pitonnage. Je m'étire le cou, j'essaie de lire.

— Elle dit quoi ?

— Qu'elle se rend à son cours directement. Elle est encore toute nue dans sa chambre, elle sait pas quoi porter, elle doit finir son devoir. Bref, elle passera pas à la cafétéria.

Rosine range son téléphone et me sourit.

— On s'habitue à ses retards, hein, Billie ?

Ça me rassure, Rosine se rappelle à quel point je déteste attendre après les autres. Elle prend une longue gorgée et se penche sur son gros livre de biologie, qui parle du corps humain en détail. Moi, je regarde des photos de personnes plus cool que moi sur Instagram, sirote mon jus d'orange, joue un peu à *Candy Crush* et je me tanne. Je soupire bruyamment pour que Rosine lève les yeux et me donne un peu d'attention. Des fois, c'est long quand on a des amies qui aiment beaucoup, beaucoup l'école. On devient presque un fantôme, par moments.

Je pose mes mains sur son livre ouvert et lui fais mes plus beaux yeux d'amie en manque de divertissement. Elle le ferme sèchement sur mes longs doigts de grande fille.

— Billie Fay, l'école vient de recommencer ! J'suis excitée, j'aime ça la rentrée, c'est magique. Laisse-moi en profiter.

— La vraie rentrée, c'est en septembre...

— C'est la deuxième rentrée de l'année, c'est tout aussi excitant.

— Non.

— Oui.

Elle met enfin son livre de côté et me sourit. On se chicane souvent en souriant. C'est de l'amour.

Elle prend une autre gorgée et me dit :

— J'suis contente que tu sois à Montréal, pis Juliette aussi. C'est mieux comme ça.

— C'est vrai. C'tait bizarre sans vous.

Le bourdonnement des conversations autour de nous sert de musique de fond à notre déclaration d'amitié matinale. Rosine vide son jus d'un trait puis me regarde, curieuse et prudente en même temps.

— Il est comment, Pierre, en détail ?

Pierre. En y repensant bien, c'est vraiment un prénom de *mononcle*. Je le trouve encore plus laid qu'avant. Ça me fait toujours mal de penser à lui, mais je n'ai plus besoin de l'impressionner, je ne doute plus de moi. Il est loin, je n'ai pas à m'inquiéter de le croiser et d'avoir peur qu'il me trouve laide ou fatigante ou juste ordinaire. Tout ça, c'est derrière moi. Mais c'est tout près en même temps. Je me demande encore s'il pense à moi, s'il a raconté notre courte histoire à ses amis, à sa mère. Je me demande s'il se souvient de mon odeur, de la date, la fameuse date, celle de la nuit d'automne où on a fait l'amour. Dans son chalet qui sent le pneu de vélo, dans ses draps piquants.

— Y est grand pis blond pis musclé.

— Mais sa face, elle est comment? Genre, ses traits...

— Ses yeux sont bleus, il a des joues creuses de sportif, son nez est rond, plus que la plupart des nez, rond et aplati un peu, mais c'est un beau nez. Pis sa bouche est spéciale, c'est une bouche que t'as le goût d'embrasser. Tout le temps. Matin, midi, soir. L'après-midi aussi.

— J'ai essayé d'aller voir ses photos sur Facebook, mais y en a aucune... Ça complique les choses.

— Ça le rend spécial, j'trouve.

Rosine me dévisage.

— Ma Billie Fay, t'es encore *in love*, toi, là...

Je n'ai pas envie d'être encore en amour avec lui, même si je ne suis sûre de rien. Il me semble que j'ai dépensé assez d'énergie à me fendre le cœur en mille pour un gars musclé qui porte un nom de *mononcle*. Rosine a manqué mon grand été, elle aussi. Comme ma mère, comme Juliette.

Je me demande tous les jours si je l'aime encore, si je suis encore capable de le trouver aussi beau qu'avant. Je me bats avec mes souvenirs pour qu'il me fasse moins d'effet, pour qu'il m'apparaisse moins grandiose. Mais je ne sais plus trop où j'en suis. Peut-être que je ne l'ai jamais aimé, ça se pourrait. À mon âge, aimer, ça ne veut pas dire grand-chose, dans le fond. Je n'y connais rien. Tout ce que je sais, c'est que mon jeune cœur est vulnérable, et qu'il s'est énervé pour un garçon très brillant des cheveux et des yeux, qui a provoqué en moi une tempête de sentiments incontrôlables.

J'aurais peut-être dû attendre le deuxième, *skipper* Pierre. *Skipper* le champion de vélo. Mais là, c'est trop tard.

Rosine a fait l'amour cet été. Et Juliette peu de temps après, comme si elle était pressée de passer à autre chose elle aussi. Rendues à notre âge, on a l'impression qu'il faut se presser parce que c'est insupportable de penser qu'on va passer un autre été à seulement rêver, à ne rien toucher pour de vrai. Alors on part à la course à l'amour physique, pour se libérer le corps de l'adolescence. Rester dans l'ignorance de la sexualité, ça fait mal, c'est pas des *jokes*. Surtout à dix-sept ans, quand toutes les filles autour, avec leur fière poitrine, leurs hanches, leurs belles courbes et leurs cheveux qui se brossent tout seuls savent ce que c'est.

Rosine l'a fait avec Nico, son voisin qui tripe sur elle depuis le début de l'humanité ou à peu près, et Juliette, avec un Italien vraiment doué pour cuisiner des pâtes. Ces deux gars-là ont les cheveux bruns ben ordinaires, ça doit être pour ça qu'elles ont bien vécu leur première fois. Elles l'ont presque oubliée, c'est flou et c'est loin d'être dramatique.

Moi, c'est peut-être parce que je suis tombée sur un gars aux cheveux blonds comme un lingot d'or que je me laisse encore hanter par son souvenir. Avec ses yeux bleus comme un ciel clair d'été, il ne m'aidait pas du tout à prendre ça à la légère.

— Toi, Rosine, c'était comment avec Nico ?

— Hum, normal là. Pas vraiment l'fun, mais respectueux.

— J'comprends... Ça sera mieux la prochaine fois.

— J'espère ! Sinon la planète entière nous a monté un maudit gros bateau !

— Il a les yeux de quelle couleur ?

— Eh *boy*, je suis pas sûre. Personne regarde ça tant que ça, j'pense...

— T'as raison... Ça change rien.

Ça change rien ou peut-être tout, mais Rosine n'a jamais rencontré Pierre, elle ne peut donc pas comprendre mon obsession pour le plus beau bleu du monde.

C'est une belle matinée, même si je me rends compte que mes meilleures amies ont manqué un gros morceau de ma vie. Faudra reprendre le temps perdu, sinon on pourrait s'éloigner dangereusement.

J'appuie ma tête sur mes bras croisés en espérant faire une sieste avant mon cours. Rosine se replonge dans son livre, on ne parle pas et c'est correct. On est encore capables d'endurer les silences entre nous, c'est rassurant pour l'amitié.

Dans ma classe de philo, je m'installe à l'arrière, à côté d'une fille qui se maquille devant son miroir portatif. Je l'observe avec intérêt, elle est douée pour se faire une ligne au *eyeliner* liquide. Ça m'impressionne. De ma place, je peux voir les étudiants passer dans le corridor. Le professeur laisse la porte ouverte pour qu'on respire un peu l'air presque frais et qu'on se sente libre d'aller prendre des marches pour réfléchir. Il est relaxe. Je le trouve plutôt cool, à date.

Pendant qu'il parle, je me perds dans mes pensées et j'imagine ma deuxième fois. Je m'invente un garçon, souvent il a les cheveux châtains pour m'éviter d'être trop dépaysée. Souvent il est aussi grand que moi et il dessine bien.

Je rêve à une nuit de grands sentiments réciproques, parce que c'est ça la prochaine étape, je crois : trouver un garçon capable de me faire l'amour avec des étoiles filantes dans les yeux. J'aimerais que ma deuxième fois soit assez belle pour faire de l'ombre à la première, pour faire de l'ombre à Pierre.

Mes rêveries amoureuses sont interrompues par une longue silhouette qui me fait des bye bye dans le cadre de porte. C'est Juliette du haut de ses presque six pieds qui s'énerve de la main. Je lui envoie des becs soufflés, elle les attrape et les range dans sa poche arrière. Elle me fait signe de l'appeler après mon cours et continue son chemin.

J'ai hâte de profiter de la ville avec elle. On est plus grandes que tout le monde, on voit tout de haut. Ensemble, on n'a quasiment peur de personne.

Sous mon pupitre, j'ouvre mon téléphone et j'écris un message texte à mon père. Je lui dis que je m'ennuie et que je sors en ville ce soir. Il me répond d'être prudente. Je lui envoie un dessin d'un pichet de bière et une émoticône de bonhomme qui vomit, comme pour lui faire peur.

En sortant de mon cours, j'appelle Juliette, tout énervée de planifier notre premier vendredi soir en ville ensemble. Mais elle me fait tomber de mon doux nuage. Rosine et elle doivent aller à leur rencontre de programme super plate pour prendre des décisions importantes de cégépiens sérieux. Moi, je suis du côté des indécis avec mes cours de peinture à l'huile, de photographie et de yoga. C'est pas la même ambiance.

Je raccroche avec des larmes dans la voix, puis j'envoie un message texte plein de détresse à Annette parce qu'elle a toujours des idées de grandeur les vendredis soirs, même si elle est moins fine que d'habitude ces jours-ci. Son plan pour la soirée me redonne le sourire et je m'invite comme une petite sœur qui colle juste quand c'est le fun.

En arrivant à l'appartement après mon dernier cours, je croise ma mère qui lit le *National Geographic* en buvant un Perrier et rejoins ma sœur dans sa chambre. La pièce est en désordre, le plancher est recouvert de robes, de jupes, de souliers. Ça sent son parfum et celui de Raphaëlle, son amie qui est gentille une fois sur deux. Elle est trop angoissée y paraît, c'est pour ça qu'elle a l'air bête la plupart du temps. Mais pour le moment elle sourit, c'est bon signe.

Je donne des becs aux filles et me mets tout de suite à fouiller dans la pile de linge. Je choisis une robe noire assez courte et des souliers à talons noirs. Je vais être vraiment grande, je vais dépasser ma sœur de deux têtes et je ne sais pas pourquoi, mais ça me fait me sentir bien. J'applique un rouge à lèvres rouge passion-fougueuse-et-mauvais-coup (c'est écrit sur le tube) et je remonte mes cheveux en un chignon digne d'une coiffeuse aux doigts de fée.

Raphaëlle nous prépare des cocktails maison, on écoute de la musique que je ne connais pas et Annette nous met à jour dans ses aventures de désamour avec Simon. Quand elle l'a laissé tomber pour de bon au début de l'hiver, il est parti en voyage dans l'Ouest, et bien sûr il s'est fait une blonde super sportive. Depuis, Annette a le cœur brisé et elle passe son temps à l'insulter en regardant ses photos sur Facebook. Moi, je n'arrête pas de lui dire que c'est de sa faute, mais elle préfère croire que c'est lui le pas fin. Je la laisse parler, c'est compliqué son affaire. Je n'ai pas du tout hâte d'avoir deux ans de plus. Elle interrompt son histoire.

— Billie, finalement je veux mettre ma robe noire...

— Ben là, non.

— Ben oui.

— T'as pas le droit de changer d'idée de même.

— Absolument. C'est ma robe.

— Je l'ai déjà sur le dos...

Elle retire sa robe bleue et se retrouve en sous-vêtements au milieu du bordel. Elle tend les mains vers moi. Ça bouille en dedans, je me trouvais belle dans sa robe noire, j'avais l'air mystérieuse et au-dessus de mes affaires. Je soupire très fort, retire sa robe et prends la bleue. Elle est moins merveilleuse et un peu trop grande, mais elle fera l'affaire.

— Là, les souliers, par exemple, Annette, je les garde.

— Les souliers, je m'en fous. Merci, t'es fine Billie chou.

Depuis qu'elle n'est plus avec Simon, c'est plus tendu entre ma sœur et moi, on se chicane souvent. C'est comme si elle m'aimait un peu moins qu'avant.

Lorsqu'on sort le soir et qu'on traîne avec ses amis, je peux difficilement placer un mot, elle prend beaucoup de place, encore plus que d'habitude. Et elle frenche plein de gars. Beaux, pas beaux. À sa place, je serais plus sélective. Mais c'est peut-être juste une passe.

Je suis aussi nouille qu'elle parce que moi je pense encore à Pierre. Il flotte dans ma tête. J'ai entendu dire par des filles de mon ancien cégep qu'il était amoureux d'une Australienne à la peau tellement blanche qu'on voyait presque à travers. Mais je pense que c'est juste une rumeur. Il est sûrement trop occupé à pédaler plus vite que tout le monde pour courir après une fille qui ne parle pas sa langue. Ou peut-être qu'il pense à moi entre deux courses.

J'ai hâte au prochain coup de foudre. C'est bon de se faire brasser le cœur par un gars. Ça dégourdit.

Raphaëlle nous traîne dans un party avec ses amis d'université. Elle étudie en médecine, alors elle promet que ça sera rempli de beaux génies ambitieux et polis. Annette est aux anges, elle dit toujours que les gens dans son programme à elle sont insipides, que les étudiants en comptabilité sont toujours les premiers couchés les soirs de party. Moi, j'aurais préféré que Raphaëlle étudie en musique ou quelque chose comme ça, mais on verra bien. Je dois ouvrir mes horizons, comme mon père me dit souvent.

Le thème de la soirée, c'est James Bond. Je trouve ça ordinaire. Si j'avais été dans le comité organisateur, j'aurais eu des idées bien plus audacieuses, genre «*Back to High School*» ou «Pop Stars des années 2000» ou même «Shrek 1 et 2» pour les jeunes de cœur. Je me contente de leur thématique réchauffée. Au moins, j'ai l'occasion de porter une robe de soirée et des souliers à talons, ça n'arrive pas souvent.

On prend un taxi pour se rendre à la fête. Ça me fait drôle de me faire conduire par un inconnu. Personne ne lui parle. Il écoute la radio, fredonne, fait comme s'il était seul dans sa voiture alors qu'il y a trois jeunes femmes habillées un peu trop chic sur la banquette arrière. On roule jusque dans le Vieux-Montréal. Les rues en pierres me charment, tout comme les bateaux au loin et les touristes qui sourient d'être ailleurs que chez eux. On donne un gros pourboire au chauffeur et on sort de la voiture. Traverser la rue s'avère périlleux, on est loin d'être habiles avec nos souliers de madame, nos talons se coincent entre les pavés.

L'immense salle de réception est décorée de cartes à jouer géantes. Tout est rouge, noir et or, ça brille du plancher au plafond. La musique est bonne, mais elle couvre à peine les conversations et les verres qui s'entrechoquent. Raphaëlle prend nos manteaux pour les mettre au vestiaire, elle s'arrête à chaque pas ou presque pour faire la bise à des étudiants qui ont l'air plus intelligents que la moyenne. Elle semble très populaire. C'est sûrement à cause de ses boucles blondes et de sa réputation de première de classe. Annette la suit de près, elle embrasse les mêmes personnes, serre des mains, rit fort et joue dans ses cheveux. Moi, je traîne en arrière, regarde autour, fais des sourires polis aux gens et donne des notes sur dix à toutes les robes que je croise. La moyenne est haute, il y a beaucoup de velours et de paillettes.

Les filles pétillent comme du champagne cher.

J'ai mal aux orteils dans les souliers de ma sœur et ma coiffure se détériore déjà ; des mèches tombent sur mes épaules et devant mes yeux. J'ai perdu mon temps à essayer de m'arranger.

Plus jamais.

On se tient debout, un peu coincées, au milieu de la fête. Tout le monde est chic, tout le monde se regarde. Je suis la plus grande avec mes talons et mon corps fait sur le long. Les garçons me jettent des regards intrigués, mais on dirait qu'ils trouvent ça laid, ma longueur. Ils préfèrent sûrement les belles courbes d'Annette ou les cheveux de princesse de Raphaëlle, c'est moins étrange et plus doux pour l'œil. Raphaëlle ressemble à une Boucle d'or moderne. C'est beau et c'est pas juste. Moi, j'ai encore des airs d'Anne aux pignons verts avec mes cheveux roux et mes taches de rousseur sur le nez. Faudrait peut-être que je change de look.

Au moins, depuis Pierre, ça m'arrive de me regarder dans le miroir et de me trouver belle. Il m'aura apporté ça. J'ai le cœur léger quand mon reflet me plaît.

Annette nous quitte un instant pour aller chercher des gin-tonics à douze dollars. C'est cher, mais comme elle dit, le vendredi on a le droit de dépenser. Je reste seule avec Raphaëlle qui me parle de l'université, de son *zipper* qui va probablement se briser d'ici la fin de la soirée, de Jimmy le gars « super fin » dans son cours du mercredi soir. Ses seins débordent de sa robe turquoise. Je pense que je l'envie. Pour ses cheveux et son intelligence, mais surtout pour sa capacité à ne pas sourire pour rien. C'est un art. Moi, je fais toujours semblant que c'est drôle quand ça ne l'est pas, pour blesser personne. Ça me fatigue.

Elle parle, j'essaie de suivre, les conversations autour s'emmêlent, ça bourdonne. C'est un peu étourdissant, mais c'est correct.

Annette se faufile entre les invités, elle est plus ou moins stable sur ses talons hauts et arrose un peu les gens avec nos *drinks* au passage. Elle marmonne des excuses, me tend mon verre et l'échappe, mais je l'attrape de justesse. Il en reste la moitié. Six dollars de perdus.

Annette est tout excitée, ses yeux brillent.

— Oh *my god,* les filles! Checkez le DJ! Y est tellement beau!

Raphaëlle et moi, on balaie la salle des yeux, intriguées. Près du bar, un gars habillé tout en noir manipule des vinyles sur une petite scène. Il porte d'énormes écouteurs, un peu comme Pierre quand il écoute du rap. Je pense souvent à lui, alors je les compare, évidemment. C'est mon repère quand je regarde de nouveaux garçons.

Le DJ danse pour lui-même derrière ses tables tournantes. Il a l'air à l'aise dans sa bulle, on dirait qu'il s'en fout de tous ces gens bien habillés et un peu saouls. Deux filles se tiennent au pied de la scène, elles attendent de capter son attention pour lui faire une demande spéciale, sûrement même pas bonne. Il ne bronche pas et elles se tannent.

Il a la nonchalance de Pierre.

Je suis trop loin pour distinguer la couleur de ses yeux. Il a la mâchoire carrée, les épaules larges, et ses cheveux bruns comme tout le monde ont l'air soyeux. On dirait un prince super charmant. Il est peut-être le plus beau de la place juste parce qu'il est DJ, ou parce qu'il a l'air plus vieux un peu.

Souvent, c'est des détails qui donnent beaucoup de points à un gars, question beauté. C'est niaiseux, mais c'est de même.

Il lève les yeux de ses vinyles une miniseconde et son regard croise le mien. C'est un hasard, c'est sûr. Ou alors je détonne dans la foule avec mon corps en forme de spaghetti. Je suis probablement la première chose qu'on remarque quand on survole la foule, mis à part les grands gars de l'équipe de basketball qui parlent fort dans le fond de la salle.

La musique est bonne, je chantonne les paroles d'un refrain et danse un peu, mais je m'arrête rapidement. Je n'assume pas mes mouvements, finalement.

Annette bouge les hanches et la tête, elle a les yeux fermés, elle prend de la place. Raphaëlle tente de faire pareil, mais elle semble moins à l'aise. Elle boit gorgée sur gorgée, pour passer le temps ou pour s'occuper la bouche. Un DJ pas si beau remplace le DJ très beau qui descend de la scène. J'en profite pour me diriger vers les toilettes. Je le croise en chemin, il est appuyé contre le mur, il me regarde passer.

J'essaie de me concentrer sur ma démarche, de me rapetisser un peu et de balancer mes hanches comme il faut, comme une femme qui connaît son corps par cœur. J'ai besoin de m'observer dans un miroir pour regagner de la confiance en moi. Quand je vois mes yeux verts et mes cheveux presque orange, je me dis qu'au moins, j'ai de la couleur quelque part. Si ça se trouve, je vais charmer un garçon avec un détail comme ça.

Je pense qu'on tombe en amour avec des petites choses: des pupilles qui brillent, une couette de travers, un grain de beauté bien placé, une dent qui embarque sur l'autre ou une cicatrice en forme de soleil levant.

Devant le miroir, je replace mes cheveux, mais pas trop, et j'applique du rouge à lèvres. Je respire par le nez, me pince les joues, vérifie si mon souper n'a pas laissé de traces entre mes dents et sors des toilettes. Le DJ est toujours là, il joue avec son téléphone. Il écrit peut-être à sa blonde ou il regarde des photos de belles filles sur Instagram ou il joue à *Candy Crush*. Tout est possible.

Je le dépasse en coup de vent pour que mon parfum le fouette en plein visage; c'est un nouveau que je viens tout juste de me procurer, au jasmin et à la vanille. Dans ma tête, pendant une seconde, je sens que je suis capable de séduire un garçon ce soir. Je rejoins Annette et Raphaëlle qui sont accoudées au bar et attendent leur deuxième verre. Je m'installe entre elles.

— En as-tu commandé un pour moi, Annette?

— Non.

Je fais signe au barman de s'approcher et demande un verre de vin blanc, pour faire presque madame. Annette soupire bruyamment.

— C'est plate, Raph. On va-tu manger une poutine ?

Ma sœur mange juste de la salade et des pâtes pas de sauce, elle ment vraiment mal. Raphaëlle grimace.

— Ben là, on vient d'arriver ! J'suis même pas encore saoule !

— Le monde est *laitte*...

Moi, je trouve que tout le monde est beau. J'ai envie de discuter avec n'importe qui, de faire des sourires gratuits à ceux qui m'entourent. Je suis de bonne humeur. Je ne pense plus aux parents qui ne s'aiment plus, à la douche qui me dégoûte, à mes amies occupées, à ma sœur bête comme ses pieds.

Soudain, les yeux d'Annette s'illuminent. Elle se redresse, arrange ses cheveux déjà bien placés et bombe le torse pour que ses seins volent encore plus la vedette. Je me retourne et le vois s'approcher. Le beau DJ marche dans notre direction avec un sourire en coin, mi-gêné, mi-confiant, juste parfait dans le fond. Mon cœur bat fort parce que ma sœur va le croquer tout rond avant même que j'aie pu faire savoir que j'existe. Il s'installe à côté de Raphaëlle, devant Annette et moi, et se présente. Il s'appelle

Arnaud, il étudie en communications, il a plein de coupons de bière gratuite pour la soirée et il me trouve belle.

C'est sorti de sa bouche comme ça, naturellement, comme pour bien couronner son introduction toute polie. Je m'étouffe presque avec ma boisson de madame.

— Tu quoi ?

Il me regarde droit dans les yeux et répète :

— Je te trouve belle. C'est quoi ton nom ?

Je réponds :

— Billie Fay.

Je lui dis mon nom au complet comme une nouille trop énervée pour rien. Ma sœur lui tend la main.

— Moi, c'est Annette Fay, sa grande sœur, pis elle, c'est Raphaëlle Bellefeuille, ma *best* qui étudie en médecine.

Arnaud sourit, il a l'air enchanté. Il prend le temps de nous faire un compliment à chacune, puis s'invente une excuse de DJ et nous quitte sur une blague assez drôle en nous tendant des coupons de bière. C'est charmant, habile. On le regarde s'éloigner, se faufiler entre les invités bien habillés pour rejoindre ses vinyles. Tout juste avant de disparaître dans la foule, il se retourne et me fait signe de le suivre. Ma sœur et Raphaëlle ont déjà le nez dans leur verre et sur leur téléphone. Des fois, elles s'envoient des messages textes quand elles sont dans la même pièce, pour se dire des secrets à l'abri de mes oreilles plus jeunes. Je trouve ça con. C'est probablement ce qu'elles font en ce moment. Elles doivent s'obstiner, se demander si c'était pour être poli qu'il m'a dit que j'étais belle. Quand on a leur âge, on devient amère.

Moi, je leur invente une excuse de pisse-minute et vais rejoindre Arnaud. Il est assis sur le bord de la scène, ses jambes se balancent dans le vide, ses souliers brillent, on peut voir ses bas rayés de toutes sortes de couleurs dépasser de ses pantalons cigarette noirs. J'appuie mes coudes à côté de sa fesse gauche et je le regarde me regarder. Il se penche et me crie dans l'oreille que je ressemble à une actrice qu'il nomme, mais que je ne connais pas ; mon tympan me fait mal, mais je ne dis rien, ça gâcherait le moment. On jase, je le complimente sur son choix musical pour la soirée, il me demande si j'ai une chanson préférée et je lui réponds que la musique que j'aime le plus endormirait la terre entière. J'ai une passion malsaine pour les chansons tristes.

Il se penche de nouveau vers moi et m'embrasse. Ça me surprend. J'ai la bouche tendue, la langue emprisonnée, les joues paralysées. Je me dégage, le regarde, m'étire sur la pointe des pieds et colle mes lèvres sur les siennes.

Embrasser un inconnu, c'est jouer avec le feu, mais à mon âge, on a le droit de se brûler la pointe du cœur un peu.

Il saute en bas de la scène, agrippe mon bras et m'entraîne dans les toilettes des hommes. Il y a un gars devant l'urinoir. En nous apercevant, il remonte sa braguette rapidement et nous laisse seuls. Arnaud appuie ses fesses sur le comptoir du lavabo et m'attire vers lui, puis il mêle ses doigts dans mes cheveux et m'embrasse avec beaucoup de salive. Il défait ma coiffure déjà pas mal défaite, je m'en fous.

Maintenant que je suis plus proche d'être une femme qu'une adolescente, les baisers sont différents ; ils arrivent comme un cheveu sur la soupe et ils sont mouillés assumés.

C'est le premier garçon que j'embrasse depuis Pierre. Il ne goûte pas pareil, je ne sais pas si j'aime ça, mais j'ai envie de continuer quand même, juste pour voir. On s'échange des becs d'adultes un moment, puis il s'arrête.

— J'habite pas loin, on s'en va-tu ?

Ça me prend au dépourvu, j'étais bien, là, dans les toilettes des hommes à frencher un homme.

— Pourquoi ?

— Pour se coller plus...

— Ben... Je sais pas, on est bien ici, non ?

— J'habite *full* proche... On se sauve !

Je n'ai pas le goût de me sauver tant que ça. Je ne comprends pas trop l'urgence.

— J'peux pas, ma sœur est là, pis Raph...

— On va juste se coller, j'ai du popcorn, pis Netflix !

En d'autres mots, on va se déshabiller en deux ou trois secondes et on va faire l'amour maladroitement parce qu'on ne se connaît pas du tout.

Maintenant que ma première fois est passée, tout est possible. Je suis libre, j'ai le droit de faire ce que je veux et mon corps devrait être prêt. Mon cœur aussi. Dans le fond, entre Pierre et le vrai amour qui arrivera sûrement un jour, il y a d'infinies possibilités et toutes sortes d'hommes à découvrir, à toucher et à embrasser.

Mais on dirait que ça me fait mille fois plus peur. Parce que là, tout peut arriver, c'est moi qui choisis. C'est moi qui choisis si j'embrasse lui ou un autre, si je vais chez lui ou pas, si je vais jusqu'au bout ou si je m'arrête juste à temps. C'est beaucoup plus compliqué à gérer que lorsque j'avais la barrière de la première fois qui m'empêchait d'aller où je voulais. Avant Pierre, je n'avais pas conscience de l'ampleur que ça pouvait prendre d'avoir envie de faire l'amour. Alors je me suis jetée tête première sans penser, et je ne regrette pas. Depuis, ma nouvelle liberté me fait peur. C'est encore plus de pression sur mes épaules, d'assumer mes envies ; quand on n'est plus vierge, les occasions semblent plus fréquentes. Prête pas prête, les gars s'attendent souvent à ce qu'on aille jusque-là. À mon âge ça devrait être normal, mais je suis en retard et ma première fois n'est pas si loin derrière moi. J'ai envie de prendre mon temps avant de considérer la sexualité comme quelque chose d'ordinaire.

Je ne me fais pas encore assez confiance pour choisir mon prochain amour tout de suite, on dirait. En plus, j'ai perdu ma fougue et mon rouge à lèvres s'est sûrement estompé puisque la bouche d'Arnaud est toute barbouillée. Je n'ai plus d'élan, je n'ai plus envie de frencher, j'ai le cœur qui bat vite de ne pas savoir comment arrêter tout ça. Je me suis posé trop de questions déjà. Je me dégage de ses bras et j'invente une excuse qui ne veut rien dire cette fois-ci. Je sors des toilettes, j'essuie ma bouche pour effacer toute trace de baiser.

Le temps a passé vite, les gens autour sont maganés, la place s'est vidée un peu, on est moins coincés. Je cherche Annette et Arnaud me rattrape.

— Billie ? Ça va-tu ?

— Ben oui là ! Ça me tente juste pus !

— Ben voyons...

— J'te connais pas ! Bye !

Je ne sais plus quoi dire pour qu'il s'en aille loin. Je veux rentrer à la maison, j'ai mal aux pieds, je veux me sauver de lui et de ce qui aurait pu arriver si je l'avais suivi.

Arnaud disparaît en roulant les yeux et ma sœur se fraie un chemin jusqu'à moi entre les invités. Son mascara coule sur ses joues, elle a pleuré. Elle me saute dessus et m'agrippe les épaules, je sens ses ongles dans ma peau. Elle est furieuse ou triste ou les deux.

— T'étais où ?

Elle cherche son souffle, moi je me sens engourdie, je réagis au ralenti.

— Dans les toilettes des gars...

— Pis tu faisais quoi ? On t'a cherchée partout, je m'en allais appeler maman ! T'étais avec qui ?

Vite comme ça, on aurait dit de la rage, mais je connais ma sœur, elle était morte d'inquiétude. Raphaëlle nous rejoint, haletante.

— T'étais où Billie ?

— Dans les toilettes des gars !

Ça me fâche. Si ma sœur avait disparu comme ça, je n'aurais pas eu le droit de m'inquiéter. Je n'aurais eu qu'à me taire et à écouter son histoire avec des étoiles d'envie dans les yeux. Là, je me fais chicaner parce que ce n'est pas elle qui a vécu des émotions fortes ce soir.

C'est rare qu'on mélange notre amour de sœurs avec une compétition de gars pas super importante. Je ne m'y habituerai jamais. Raphaëlle en rajoute encore :

— T'étais avec qui, Billie ?

— Avec le gars qui s'appelle Arnaud.

— Le DJ ? Annette, c'est le DJ, *right* ? Y aurait pu t'amener n'importe où !

Elle est aussi surprise que si je lui avais annoncé que j'avais fumé une cigarette avec Obama dans les toilettes.

Annette renifle un bon coup, je lui prends la main et la serre fort, fort. Elle me regarde les yeux pleins d'eau.

— Je m'excuse, Annette. Pour vrai…

Elle me tire par le bras et me traîne vers la sortie. Raphaëlle nous suit avec nos manteaux.

Dans le taxi, personne ne parle. Annette retient sûrement d'autres larmes jusqu'à la maison. Quand on boit, c'est plus difficile d'arrêter de pleurer. Moi, je me fais discrète en jouant aux *Sims* sur mon cellulaire pour faire passer le malaise.

Je n'ai pas le goût d'alimenter des petites jalousies de sœurs, mais je grandis et j'ai le droit de faire ce que je veux avec l'attention qu'on me donne les soirs de fête. J'ai l'âge d'avoir la bouche en feu, moi aussi. Je ne sais pas trop quoi penser: j'ai envie de me confondre en excuses parce que c'est la pire chose de faire de la peine à ma sœur, mais en même temps je suis contente d'avoir brillé plus qu'elle ce soir. Ça faisait longtemps que j'en avais envie.

Je texte Juliette.

J'ai frenché.

Elle me répond:

HEIN QUI? avec une série de cœurs rouges.

Je vais l'appeler demain.

En arrivant à la maison, je m'allonge dans mon lit toute habillée parce que j'ai encore envie de porter ma robe. Je me suis trouvée belle toute la soirée, alors j'en profite encore un peu. J'ouvre mon ordinateur portable sur mes genoux et j'écris à mon père.

Salut papa,

Je reviens d'une fête avec Annette. J'étais plus grande que tout le monde.

J'ai fini par me trouver belle, c'est rare.

Annette et moi on s'est chicanées. Je te conte pas en détail parce que c'était nono. Je pense qu'on a de la misère à être bien dans notre peau quand on est ensemble ces temps-ci.

Demain, je vais aller me promener dans la ville, respirer de l'air sale pour m'habituer.

Toi, comment ça va ? As-tu passé le niveau vraiment tough *dans ton jeu vidéo ?*

Je t'aime,

Billie

Avant de fermer la lumière, je google des célébrités pour m'inspirer. J'ai envie de me couper les cheveux. Courts. Pour souligner ma nouvelle vie urbaine.

Les filles en ville ont des coupes plus funky. J'ai remarqué ça.

Chapitre 2

Blond médaille d'or

Ce matin, je me suis levée tôt, j'ai mangé des céréales en regardant un épisode de *Grey's Anatomy*, celui du gars pris dans un bloc de béton, et je me suis habillée chaudement parce qu'il fait moins mille dehors. J'ai enfilé trois chandails, un manteau, des collants en dessous de mes jeans et une tuque en poil. J'aime ça penser que l'animal de ma tuque est mort de vieillesse et qu'un homme des bois a gossé un chapeau dedans, mais en réalité, Annette l'a achetée chez H&M pendant le *Boxing Day* l'an passé. C'est plus ordinaire comme histoire (et plus triste).

Juste avant que je sorte, ma mère vient s'appuyer contre le cadre de porte avec les bras croisés et son air inquiet habituel.

— Tu sors ?

— Ben oui…

— Y fait froid !

— Je sais...

— Habille-toi chaudement.

— C'est ça que j'ai fait...

On se regarde un moment sans parler. On n'a rien à se dire, mais ce n'est pas nouveau. Elle marche sur des œufs avec moi aussi, elle est trop douce. C'est comme si on ne se connaissait plus. Elle n'est pas tout à fait redevenue ma maman d'avant.

Je lui offre un sourire poli et sors en lui souhaitant une bonne journée, même si je sais que la sienne sera ordinaire. Elle passe beaucoup de temps dans sa chambre et fait du ménage pour que les heures passent plus vite. Je suis triste juste d'y penser, mais je n'ai pas la force de m'occuper d'elle. Pas tout de suite, en tout cas.

J'ai envie de marcher longtemps pour aller nulle part, d'éviter les craques du trottoir glacé. Je mets mes écouteurs et choisis une chanson de Robyn qui me fait sourire, pour changer de ma sélection maussade habituelle. Non, c'est pas sain d'écouter des morceaux tristes à longueur de journée.

Je marche lentement, je flâne. Je croise des mamans avec des poussettes, des ados qui marchent loin de leurs parents, des filles qui ont appris à être belles plus vite que moi et mieux que moi. Ça se voit à leur chevelure lisse sous leur tuque tricotée, à leurs lèvres rouges bien hydratées, à leur manteau d'hiver chic en duvet, à leurs yeux qui brillent. Leur chum les attend peut-être patiemment dans un resto cher, avec une tulipe de la couleur de leur cœur en amour et une bague de la bonne grandeur.

Je me promène dans des rues que je ne connais pas avec ma queue de cheval emprisonnée dans ma tuque, mes babines qui auraient besoin de lipsyl, mes trois chandails qui m'étouffent sous mon manteau pas assez chaud et mes yeux qui ne savent pas où regarder pour s'émerveiller.

J'ai hâte que quelqu'un m'attende quelque part avec une fleur et un bijou. Ou que madame la Vie me propose quelque chose de plus original. Du nouveau romantisme, genre.

J'aimerais peut-être juste qu'un gars marche au même rythme que moi jusqu'au McDo le plus proche pour manger des frites avec beaucoup de sel et du ketchup, des croquettes dans la sauce aigre-douce et de la *rootbeer* qui me rappelle ma saveur préférée de lipsyl.

Ça me ressemble pas mal plus comme histoire, ça.

Les gars sont beaux sur mon chemin. C'est la première fois que je me promène en ville et que je les regarde pour de vrai.

Avant Pierre, je ne voyais rien, et depuis je ne vois que lui. Ça m'arrive de l'imaginer dans la foule;

j'aperçois un grand blond au loin et j'espère presque que ce soit lui. Mais à chaque fois, c'est une pâle copie de sa silhouette gracieuse et forte en même temps ; c'est un inconnu aux cheveux moins brillants que les siens.

Mon cœur fait des grands sauts. J'aime ça.

Aujourd'hui, par contre, c'est autre chose. C'est l'après-après-Pierre. Je veux l'oublier complètement et observer les gars autour. J'ai besoin de voir des cheveux bruns, des taches de rousseur, de la peau pâle, des yeux gris ou verts ou noirs, des visages qui ne me font rien en dedans. Pour repartir à zéro.

Au coin de la rue, il y a un gars habillé en noir de la tête aux pieds. C'est charmant, ça fait soft rock, il me fait penser à Arnaud. Il mâche de la gomme, écoute de la musique, joue avec son téléphone. Je pourrais tomber en amour avec lui, on déménagerait ensemble dans un grand loft dans le Vieux-Montréal et on payerait notre loyer en fabriquant des colliers en macaronis.

Appuyé sur un poteau de téléphone, il y a un grand roux avec des lunettes noires. Il porte une chemise de chasse bien épaisse pour être cool et des bottes de construction pour avoir l'air fort. Je pourrais tomber en amour avec lui, partir dans le bois avec un sac à dos, construire une cabane sur le bord d'une rivière et élever notre enfant, roux lui aussi, dans une couple d'années.

Assis sur un banc de parc, il y a un gars beau comme une vedette de cinéma. Ses cheveux sont coiffés vers l'arrière, ses jambes sont croisées, son livre est presque terminé. Il n'a même pas l'air d'avoir froid aux doigts. Je suis contente d'être là par hasard pour l'accompagner dans les dernières pages de son histoire ; je pense que c'est un livre de Stephen King. C'est une grosse brique, en tout cas. Je pourrais tomber en amour avec lui, changer de nom, m'appeler Kate parce que ça fait anglo, partir dans le Maine en pick-up sur les traces de son auteur préféré, ne jamais revenir et habiter dans une tente sur la plage jusqu'à ce que je me tanne d'avoir du sable dans les cheveux.

Tout se peut.

Je croise un courageux en vélo, il me sourit. C'est lui le prochain, je le sens. Il passe en vitesse, le vent fouette mon visage, mon cœur saute, c'est avec lui que je vais tomber en amour. Mais il ne s'arrête pas, il continue de pédaler et s'éloigne. Il a disparu. C'est difficile de trouver son prochain coup de foudre dans la rue.

Mon téléphone sonne, c'est Rosine.

— Rosine !

— Allô, Billie ! Qu'est-ce que tu fais ?

— Je marche au centre-ville, je regarde les gars. Je fais du lèche-vitrines.

C'est vrai que c'est un peu ça. Du lèche-vitrines d'amour fou.

— On s'en vient chez toi, on veut voir ton appartement !

— Parfait ! Pizza pis *cream soda* ?

— On s'occupe de tout. Tu nous feras un compte rendu de ton magasinage.

— C'est pas du magasinage, c'est du lèche-vitrines, c'est pas pareil.

— OK, si tu le dis. Bye, là !

— Bye !

Je raccroche et je fais demi-tour, j'essaie de croiser des regards ou d'arracher des sourires aux passants, mais c'est plus difficile que je pensais. Tout à coup, j'ai mal aux jambes, j'ai froid aux orteils et j'ai faim. Le retour me semble plus long, j'ai perdu mon enthousiasme et les gars se font moins nombreux sur ma route.

Quand je tourne le coin de ma rue, j'aperçois Rosine et Juliette déjà installées dans l'escalier. Elles m'attendent en grelottant avec deux litres de *cream soda* et une pizza *all dressed* extra large. Je les rejoins et j'embrasse leurs joues parce que c'est ça qu'il faut faire, les *high five* c'est pour les enfants. Je leur raconte mes fausses rencontres, on en rit parce que c'est un peu ridicule de s'imaginer des affaires comme ça avec des gars qu'on ne connaît pas. Puis Rosine se met à fouiller dans sa poche. Elle sort son iPhone et ouvre une page Web.

— *By the way*, on est tombées là-dessus à matin...

Juliette s'énerve.

— Ouan, c'est-tu ton Pierre ?

C'est un article de la section des sports de *La Presse*. Je lis le gros titre, puis le sous-titre, ça dit : *Le jeune Forêt brille en Australie. Il ramène l'or à la maison*. J'ai chaud tout d'un coup. Sur la photo, Pierre tient un bouquet de fleurs sur la première marche du podium. Il sourit, c'est rare. Ses cuisses sont grosses, luisantes dans son cuissard, ses cheveux sont ébouriffés. C'est vrai qu'il brille, je l'ai toujours dit. Et l'or lui va bien, ils ont raison d'écrire ça. S'il ramène une médaille à la maison, ça veut dire qu'il est de retour. Ça veut dire qu'il est proche.

Je reprends mon souffle et lui vole son cellulaire. J'ai beau vouloir me sauver de lui, ces articles glorieux ne vont décidément jamais cesser de me hanter.

— Oui, c'est lui. C'est fou, ça, l'or ! Un vrai de vrai champion !

— Il ressemble vraiment à Kevin Bacon.

— Vous savez c'est qui, vous autres, Kevin Bacon ?

Juliette est presque offusquée par mon ignorance.

— Ben oui ! *Footloose,* un classique !

Les filles me dévisagent. Je lâche un long soupir et monte la dizaine de marches qui nous séparent de l'appartement.

— C'est bon, là, on peut passer à autre chose. J'ai faim !

Elles se lèvent et me suivent.

On dirait qu'elles ont fait par exprès, qu'elles voulaient me voir perdre la face. Ou peut-être qu'elles voulaient me tester, savoir si j'ai encore le cœur en morceaux. Je ne sais pas quoi leur dire. Oui, je l'aime ; non, je l'aime plus ; oui, non, oui, non.

Pour être polie, je fais le tour de l'appartement avec elles en trois secondes. Étonnamment, ma mère n'est cachée dans aucune pièce. Puis on dévore toutes les pointes de la pizza, même les croûtes, et on boit les deux litres de *cream soda* jusqu'à la dernière goutte.

Juliette lance sa serviette de table directement dans la poubelle et dit :

— Si vous pouviez être n'importe où en ce moment, vous seriez où ? Genre, votre *setup* idéal ?

Rosine se lance.

— Moi, je voudrais être sur une plage, quelque part où il fait chaud. Avec un bon livre, une Corona pis vous deux !

Pendant que Rosine continue de fantasmer tout haut sur sa vie ensoleillée, j'essaie de réfléchir à ce qui me donne chaud, à ce qui me fait sourire et rêver. Je n'ai pas le goût d'avoir les fesses dans le sable, ni de me baigner dans une piscine pleine de nouilles, ni de sauter en parachute, ni de flatter un bébé tigre, ni de frencher un des gars de *One Direction*. Je voudrais plutôt me coller contre Pierre sur une banquette de char, qu'il dessine des nuages sur mon genou, qu'il colle sa bouche sur la mienne et qu'on s'échange amoureusement notre salive.

C'est plus fort que moi.

Juliette remarque mon regard vide, perdu loin, loin. Elle prend ma main doucement.

— Tu penses à Pierre, hein ?

Des vagues d'eau salée glissent sur mes joues de femme mêlée, c'est automatique. Je crois que le pire, c'est l'ennui. Je m'ennuie d'aimer un garçon, de sentir mon corps s'énerver pour des yeux, des cheveux, un sourire, un compliment sur mon t-shirt ou sur la longueur de mes jambes. Je renifle bruyamment, j'essuie mon nez avec ma manche de chandail.

Rosine appuie sa tête sur mon épaule.

— C'est pas grave si t'as encore de la peine. Y devait être spécial.

— Oui, vraiment spécial…

Juliette resserre son étreinte sur ma main.

— Ça va passer…

Je les entoure avec mes longs bras et les serre du plus fort que je peux. Je respire mieux. Une chance qu'elles sont là, c'est ça qui manquait à mon quotidien l'automne dernier. Des filles fragiles comme moi qui m'aiment depuis longtemps.

— J'espère que c'est vrai, les filles.

Dans un élan de désespoir ou de grand courage, j'agrippe mon téléphone et je rédige un message texte :

T'es revenu, t'es où, qu'est-ce que tu fous ?

J'entre le numéro de Pierre (je le connais encore par cœur), et j'appuie sur « Envoyer ».

Sans penser.

Rosine prend mon téléphone et Juliette lit par-dessus son épaule. Elles me regardent avec des yeux ronds. On retient notre souffle en silence, on attend sa réponse, on grignote les morceaux de pepperoni encore collés au fond de la boîte de pizza. J'ai les mains moites. J'ai toujours les mains moites quand je pense à Pierre. Ça recommence.

Mon téléphone vibre, c'est lui. Il est rapide, je n'étais pas si prête. C'est écrit :

Je suis à Québec pour l'entraînement. C'est pas si loin de Montréal...

Rosine prend mon téléphone et écrit à ma place. Je la laisse faire, je lui fais confiance. On patiente une minute, puis il répond. Elle lit et se lève, tout énervée.

— Ma Billie, fais ton sac, on s'en va à Québec !

— Là, là ?

— Oui, là.

Juliette saute de joie.

— C'est ma fête la semaine prochaine, on dit à nos parents qu'on va célébrer. C'est une bonne raison !

Rosine approuve le plan :

— C'est parfait ! Notre vie est donc ben plus excitante depuis que t'es en ville, ma Billie !

Je souris pour de vrai.

J'ai envie d'y aller, j'ai déjà hâte d'arriver et de le voir. Pour savoir enfin si mon cœur bat encore comme un fou pour lui.

J'ai dix-huit ans, c'est le temps de faire des niaiseries, de faire par exprès pour me compliquer la vie.

♡ ♡ ♡

Le soleil se couche tranquillement à l'horizon. Je suis bien installée sur la banquette arrière de la Jetta rouge de Rosine, l'album de Beyoncé joue fort, je l'ai volé à Annette pour me venger. Juliette est à l'avant, elle règle la chambre d'hôtel au téléphone avec la carte de crédit de son père. Elle l'a toujours dans son portefeuille « pour les urgences ».

Ce soir, c'est comme une urgence.

Ma mère n'a pas été difficile à convaincre. Je n'ai eu qu'à lui écrire tout plein de bons arguments dans un message texte. Une chance que je suis une fille plutôt sage et que ma crise d'adolescence (en retard) s'enligne pour être raisonnable.

La route est longue, j'invente des scénarios dans ma tête, j'imagine Pierre sourire en m'apercevant ou partir en courant. Je pense à tout ce qui pourrait arriver. Pour me préparer.

Mon téléphone vibre, c'est Pierre, il écrit :

Yo ! On va au Dag sur Grande-Allée, on se rejoint là !

La dernière fois que je me suis promenée dans le Vieux-Québec et les alentours, c'était avec ma mère, on avait mangé des gaufres au Nutella et pris des photos sur les gros canons en face du château. J'avais des broches et les cheveux très courts, je m'en foutais d'être belle dans les yeux de quelqu'un. C'était une période relaxe.

Je réfléchis longtemps pour le faire languir, puis je réponds :

En route. X

J'espère qu'il va comprendre que le X majuscule veut dire que j'ai envie de l'embrasser sur la bouche avec la langue.

Mais un gars, ça ne connaît sûrement pas les codes des messages textes comme nous. Ce n'est pas aussi important pour eux.

On verra. Il est surprenant, Pierre. Toujours différent, toujours ailleurs, en avance sur tout.

J'ai hâte qu'il me voie, qu'il voie dans ma démarche, dans mon visage et dans ma voix que je suis plus grande en dedans, plus prête, mais surtout moins naïve. Ça va peut-être vraiment le séduire cette fois-ci.

Ça fait presque trois heures qu'on roule. Rosine chiale et nous raconte les mauvais coups de son petit frère, Juliette se plaint de la nouvelle blonde de son grand frère, et moi je déblatère sur l'air bête de ma sœur. Elles me posent des questions sur ma mère, mais je reste floue, je leur dis qu'elle va de mieux en mieux, qu'on va de mieux en mieux. Je n'ai pas envie qu'elles s'inquiètent, ça va se replacer. Je pense.

On sillonne les petites rues de la capitale, on trouve tout coquet. Elles me rappellent de beaux souvenirs. On s'arrête devant l'hôtel, le valet prend les clés, on se pense fraîches.

On se sent comme des femmes importantes qui sont à Québec pour régler des choses importantes.

On se ment à nous-mêmes, on évite de se rappeler qu'on a conduit trois heures pour aller voir un blond avec un nom de con. Dans l'ascenseur, puis dans notre chambre, on est énervées comme des gamines. On est pleines de contradictions.

Juliette saute sur son lit, Rosine sort son maquillage et j'étale mes vêtements sur le tapis. J'ai apporté une robe noire, une jupe noire, un t-shirt noir, une chemise noire et une robe rouge à pois blancs. J'hésite comme si ma vie en dépendait.

Le noir, ça fait sérieux.

Les pois, ça fait fougueux.

Choix facile.

J'enfile ma robe picotée (un peu comme mon nez) et Juliette s'essouffle derrière moi à faire des pirouettes.

— Moi, je reste de même, je pense. J'ai personne à impressionner.

— Tu sais pas Juju, peut-être que Pierre a plein d'amis. On sait jamais quand on va tomber en amour...

Sans rien dire, elle saute du lit et se met à fouiller dans mes vêtements noirs. Rosine sort de la salle de bain, elle a déjà appliqué une épaisse couche de mascara sur ses cils qui ne finissent plus et du rouge à lèvres mauve orchidée-au-soleil-jus-de-raisin-sucré.

— Est-ce que c'est *too much* si je mets ma jupe mauve avec mon rouge à lèvres mauve ?

— Pas si tu portes ça avec !

Je lui lance mon t-shirt noir.

Elle se débarrasse de sa chemise en jeans et enfile le t-shirt. Elle est déjà belle sans effort, alors avec son maquillage et ses vêtements, elle vole la vedette, un peu comme Annette.

Je me trouve ordinaire. Ce n'est pas le moment, il faut que je resplendisse pour attirer les yeux de Pierre sur ma nouvelle maturité.

— Juliette ?

— Quoi ?

— Coupe mes cheveux.

— Quoi ?

— Coupe mes cheveux. Chop chop.

— T'es folle ?

— Un peu.

— Courts ?

— Assez, oui.

— OK... J'vais aller chercher des ciseaux à la réception. Penses-y comme il faut en attendant.

Juliette sort de la chambre en courant et Rosine me tire par le bras vers la salle de bain. Elle installe une chaise devant le lavabo et se met à démêler mes cheveux. Je m'imagine déjà avec la nuque toute nue et j'aime ça. On poireaute à essayer de trouver la coupe parfaite sur le iPhone de Rosine, et Juliette revient enfin avec une énorme paire de ciseaux à bricolage.

— C'est tout ce que j'ai trouvé !

Juliette se lance, je ferme les yeux et retiens mon souffle. Elle rassemble ma crinière rousse qui descend le long de mon dos entre ses doigts et coupe tout d'un grossier coup de ciseaux. Mes cheveux tombent par terre et s'éparpillent sur le carrelage, ça chatouille nos orteils. J'ouvre les yeux, je me sens toute nue, mais c'est correct. Juliette et Rosine se mettent à crier, moi je ris, je ris, je ris. Je passe mes doigts dans mes cheveux, je secoue la tête, je trouve ça beau. Un coup de ciseaux et j'ai une nouvelle tête, c'est pas compliqué.

Rosine me prend en photo avec son téléphone.

— T'es vraiment belle, Billie, ça te vieillit dans le bon sens.

— Merci, j'ai gagné deux ou trois ans certain, c'est vrai !

Juliette observe son œuvre.

— C'est pas drette, drette, par exemple…

— C'pas grave, Juju, personne va remarquer. Je m'en fous en tout cas.

Elle sourit, satisfaite de sa coupe.

— Pierre va capoter.

Je regarde mes deux amies avec des yeux doux, j'espère qu'elles ont raison. Pierre connaît seulement mes longs cheveux roux emmêlés, il va faire le saut.

Il est déjà tard, on termine de se faire belles en vitesse et je sens des bourdons géants s'agiter dans mon ventre. Je sors mon téléphone de ma sacoche, j'espère y trouver un message de Pierre qui me dit de me dépêcher, de courir vers lui pour ne pas perdre une seconde de notre soirée. Évidemment, je n'ai rien reçu. Il se fait désirer, comme toujours, comme chaque fois qu'on se voit. Je commence à le connaître pas mal.

Je voudrais faire l'amour avec lui ce soir, pour une deuxième fois. Je me sens moins stressée, moins vulnérable. Plus sûre de moi aussi. Je me suis ramassé tout plein de confiance depuis cette fois-là. J'aurais peut-être même du plaisir à le faire. J'ai hâte que ce soit bon. Je ne sais pas encore ce que ça fait vraiment physiquement, mais y paraît que c'est euphorique. Oui, c'est sûrement meilleur la deuxième fois.

On marche bras dessus, bras dessous jusqu'au bar. Les rues sont belles, l'éclairage est doux, les passants sont beaucoup plus calmes qu'à Montréal, c'est agréable. On croise des bandes de garçons sur notre chemin, des fois ils nous font des signes de la main ou des sourires pleins de sous-entendus. Juliette leur donne des notes sur 10 tout bas, ça nous fait rire.

Je pense à Pierre. À ses yeux bleu fond-de-piscine-creusée et à ses cheveux blond soleil-levant-emballage-de-Ferrero-Rocher. Je puise dans mes souvenirs, revis nos moments ensemble, les analyse pour la millième fois. Je me rappelle juste ce qui a été beau entre nous ; les larmes et la déception, je les laisse de côté pour l'instant. On est trop loin de la maison pour changer d'idée, de toute façon.

Et la chambre d'hôtel est déjà payée.

Devant le bar, il y a une petite file d'attente et le portier a l'air bête. Peut-être qu'il est déçu de ne pas pouvoir prendre part à la fête. Je le comprends.

C'est l'hiver dehors, il fait plus froid qu'à Montréal. Mes longues jambes pas charnues grelottent dans mes minces collants noirs. J'ai déjà une maille sur la cuisse, je trouve ça beau et rock un peu, même si je ne suis pas une fille rock.

J'ai encore le droit d'essayer des affaires.

Les filles qui attendent dehors sont habillées en été : pas de manteau, pas de foulard, juste de la peau à montrer aux garçons. Je cherche Pierre, peut-être qu'il prend l'air devant. Je le cherche pour voir s'il regarde les nuques des filles et leurs jambes à découvert. Je le cherche pour voir s'il me cherche.

Après quelques minutes le portier à l'air bête nous laisse entrer, sûrement à cause de notre beau sourire. La musique est forte, il fait chaud, les gens dansent collés. Rosine nous crie quelque chose d'incompréhensible et se dirige vers le bar. Juliette et moi on observe autour de nous.

Elle se penche vers moi.

— Le vois-tu ?

— Non, toi ?

— Non...

On a l'air de deux longs piquets au milieu de la place, on ne sait pas trop quoi faire de notre grand corps, on pivote, on cherche, on piétine. Je passe ma main dans mes cheveux, j'avais oublié ma nouvelle coupe de femme. J'ai le cœur confiant grâce à une paire de ciseaux.

Je lève les yeux et je l'aperçois au loin, comme la toute première fois sous le chapiteau, l'été passé. Il parle, gesticule, rit et fait rire les autres autour. Le brun à sa droite se tape sur les cuisses, le roux à sa gauche tient son ventre tellement le souffle lui manque. Moi, il ne m'a jamais fait rire comme ça. Il est différent avec les filles : plus calme, plus froid, moins accessible.

Pour garder le contrôle, sans doute.

J'aimerais avoir un fou rire avec lui un jour. Mais il faudrait peut-être qu'il soit amoureux de moi pour ça. On verra.

Je serre le bras de Juliette avec ma main toute moite et lui fais signe de regarder la grande banquette tout au fond. Ses yeux s'arrondissent, elle est aussi nerveuse que moi, on dirait. Je suis rassurée. Des fois, j'ai peur d'être devenue folle à cause de lui. Rosine nous rejoint avec des *Rum & Coke* bien pleins, elle en a sur les doigts et sur son t-shirt, mais elle s'en fout.

Elle mâchouille sa paille et aperçoit Pierre elle aussi.

— C'est lui ?

— C'est lui.

— C'est vrai qu'il a quelque chose de spécial...

— Je vous l'avais dit...

On l'observe de loin toutes les trois, on sirote notre verre, je sens mon cœur battre trop vite. Puis Rosine m'entraîne vers la banquette. Juliette suit. On traverse le bar, on se fraie un chemin entre les couples qui font presque l'amour en dansant, on sent leur chaleur et tout. On atteint la table des garçons. Ils se retournent tous, le roux nous sourit, le brun aussi, Pierre lève les yeux et me salue de la main, puis il fait une place à côté de lui en se serrant contre son ami. Il flatte le cuir de la banquette pour m'inviter à m'installer. Les filles s'assoient en face et tout devient flou.

Pierre et moi, on est tout seuls, maintenant.

Il entoure mes épaules avec son bras musclé, ma tête repose dans le creux de son coude, c'est doux. Il porte un pull de laine beige, il a l'air d'un prince. Ou d'un joueur de polo. Il sent le parfum d'homme : le bois, le cuir, le sapin. C'est un mélange intimidant, mais moins épeurant qu'avant.

— Billie-Lou, ça fait longtemps.

— C'est vrai. T'es pas mal bronzé. C'tait comment, l'Australie ?

— C'tait cool. J'ai gagné.

— Je sais.

On se regarde un bon moment, nos visages sont proches, proches. Je sens son souffle sur ma peau quand il me parle.

— C'est qui tes deux amies ?

— Mes meilleures amies.

— C'est quoi leur nom ?

— Juliette pis Rosine.

— La petite brune, c'est laquelle ?

— Rosine…

— Est belle.

— Ouais…

Mon cœur se crispe. Ça me fait mal pour vrai. Si je n'étais pas aussi intimidée, je me décollerais, je lui crierais dessus, je lui dirais qu'il est con, qu'il le sera toujours et je me sauverais loin. Mais son charme m'empêche de réagir. À la place, je me dis que c'est de ma faute, que j'aurais dû porter autre chose et garder mes longs cheveux pour être aussi belle, plus belle que Rosine, même.

C'est une maladie d'amour, ça.

Je me force à sourire et j'essaie de cacher la tristesse dans mes yeux. Il resserre son étreinte en dévisageant Rosine en face de lui. La musique me donne mal à la tête, mon *drink* me lève le cœur, son odeur m'étourdit, son bras m'étouffe. J'observe les filles. Rosine bouge doucement au rythme de la musique, assise à côté d'un grand gars aussi musclé que Pierre, et Juliette regarde dans le vide en jouant avec sa paille dans son verre. En un élan, je me redresse et prends le visage de Pierre entre mes mains. Je le fixe un instant pour lui faire croire que je n'ai pas peur de lui, puis je l'embrasse sur la bouche, avec beaucoup de passion. Pour le convaincre que c'est moi qu'il doit trouver belle. Pour lui rappeler que c'est avec moi qu'il a fait l'amour et qu'il a ce lien spécial. Il répond à mes baisers avec des coups de langue pas gênés. C'est bon, mais je ne me laisse pas aller, je surveille tout: mes mains, ma bouche, mes sentiments. Ça goûte la même chose qu'avant.

J'ai envie de son corps.

Je me lève, lui prends la main et le tire hors de la banquette. On traverse la piste de danse, il fait chaud, les amants transpirent fort à danser sans arrêt et à se frotter les uns contre les autres. Je l'amène dans un coin tranquille, m'appuie contre le mur et l'attire vers moi. Je respire dans son cou pour emmagasiner bien comme il faut son odeur dans mes poumons. Je passe mes mains dans ses cheveux pour sentir leur texture et ne plus jamais l'oublier. On dirait de la paille, mais de la paille douce. C'est complexe comme sensation sur ma peau. Je descends mes doigts sur son cou, m'approche encore plus, nos lèvres se frôlent.

— Pierre, on s'en va d'ici.

Il se dégage et me regarde dans les yeux pour la première fois depuis mon arrivée. Il est bien sérieux. Il frotte sa main sur sa bouche comme pour effacer nos baisers, puis ébouriffe ses cheveux à sa façon.

— Ben non…

— Pourquoi?

— Ça m'tente pas de m'en aller…

Je garde le sourire, au cas où il me ferait une blague pas drôle du tout.

— *Come on*, on va chez toi. Juste nous deux…

— J'pense qu'on s'est mal compris. Ça arrivera pas, Billie...

— Pourquoi ?

— Parce que.

Parce que. La pire réponse. Celle qui ne veut absolument rien dire. Les gars, avec ces mots-là, ils font de la peine aux filles comme par exprès. Nous, on angoisse, on se pose mille questions, on se fait plein de scénarios, pendant qu'eux nous cachent leurs vrais sentiments.

Quand Arnaud a voulu qu'on se sauve chez lui, je ne voulais rien savoir. Mais là, je donnerais tout pour que Pierre m'amène avec lui. N'importe où. Ici, on est trop près de la beauté nouvellement dangereuse de Rosine.

J'approche ma bouche de la sienne pour tenter de le convaincre. J'ai envie d'aller jusqu'au bout et de tout essayer. Pour éviter de regretter après.

Il se laisse faire, c'est moi qui dirige nos baisers. J'entoure ses hanches avec mes bras, je serre fort, je descends mes mains sur ses fesses.

— T'habites où, ça se fait-tu à pied ?

— On va pas chez nous, on couchera pas ensemble, Billie.

Je lâche ses fesses et le pousse, fort. J'ai les yeux pleins d'eau. Je vais me mettre à pleurer devant lui, dans un bar de Québec, dans ma robe à pois, loin de chez moi. Je suis vraiment conne. Je suis tout le temps conne quand je suis avec lui. Il déteint sur moi.

— Pourquoi tu m'embrasses, d'abord ?

— C'est toi qui m'embrasses !

— Mais toi aussi !

— Ben oui ! J't'un gars, t'es belle, on frenche. *That's it !*

Tout est embrouillé. Sans le regarder, je quitte notre maudite cachette. Je le laisse là avec ses contradictions. Je cherche Rosine et Juliette, elles ne sont plus sur la banquette du fond. La foule est dense, je suis toute seule. J'ai peur qu'elles soient parties sans moi. Je sors, l'air froid me réveille et m'aide à voir plus clair. J'entends quelqu'un crier mon nom, puis quatre bras s'agrippent à mon corps qui grelotte. Je reconnais le parfum de Rosine et les longues mains de Juliette. On reste comme ça une ou dix minutes, je ne sais plus, et je pleure beaucoup. J'essuie mon nez sur l'épaule de Rosine, elle me chuchote que ce n'est pas grave, que ça se lave.

Sur le chemin du retour, entre tout plein de hoquets, je leur raconte ma conversation et mes baisers avec Pierre. Elles ne comprennent pas elles non plus. Ce gars-là, c'est toute une énigme. Ou un sauvage.

Il n'a même pas remarqué mes cheveux. Ou peut-être que c'est ça qu'il l'a dégoûté : la coupe courte et la nuque dégagée.

C'est pas évident.

On s'endort toutes les trois dans le même lit avec la télé et les lumières allumées. Je me réveille en sursaut au milieu de la nuit. Je repasse la soirée dans ma tête et j'écris un message texte à mon père.

Allô papa. J'haïs Kevin Bacon.

Il me répond dans la seconde. Il est sûrement de garde à l'hôpital toute la nuit.

C'est un has been, *ne t'en fais pas. Appelle-moi quand tu te lèves, on discutera. xx*

Au fond, ça ne prenait qu'une méchanceté de plus pour que mon cœur comprenne. Je me sens triste, mais libérée aussi.

Chapitre 3

Marie-Jo le diachylon

La route du retour s'est faite en silence. J'ai eu le temps de réfléchir et de m'inventer de nouveaux scénarios de vie avec un autre gars que Pierre comme personnage secondaire (parce que c'est moi la vedette de ma vie, on s'entend).

À l'appartement, ma mère fait de la sauce à spaghetti en écoutant un vieux disque du Cirque du Soleil. Je ne pose pas de question, je suis trop fatiguée d'avoir été aussi humiliée.

J'entre dans ma chambre, je dépose mon sac sur mon lit et me couche en étoile. Je regarde le plafond, soupire fort. Puis, je vois une boîte délicatement emballée avec du papier de soie sur ma table de chevet. C'est écrit sur la petite carte « Pour Billie » avec des cœurs à la place des « i ». Je l'ouvre et j'en sors un disque : *La Maline* de Marie-Jo Thério.

Je crie :

— MAMANNN ?

Ma mère lâche sa sauce à spag et vient me rejoindre.

— T'as coupé tes cheveux ?

— Oui…

— T'es belle !

— Merci.

Elle pointe mon cadeau du doigt.

— Ça, ma Billie, c'est la plus belle musique.

Je suis sceptique.

— Tant que ça ?

— Oui. Les paroles, surtout. C'est pour accompagner ta vie. C'est ton père qui m'a dit de te l'acheter.

— Vous vous parlez ?

Le sourire de ma mère s'efface. Elle devient plus froide.

— Des fois. Pour régler des petits trucs pis parler de vous autres.

Je change de sujet, je n'ai pas envie de la voir pleurer.

— Y me semble que la pochette fait "madame"…

— Écoute, tu jugeras après.

— OK. Merci, Marie-Claire.

— Marie-Claire ?

— C'est ton nom…

— Mon nom c'est "maman".

— J'aime mieux Marie-Claire, finalement. Ça te va bien.

— Appelle ton père pour lui dire merci.

— Promis !

Elle baisse les yeux et s'efforce de sourire, puis retourne à la cuisine.

On dirait que de l'appeler par son nom m'enlève de la pression. Depuis qu'elle est partie, elle n'est plus vraiment ma mère. Même si elle est revenue avec nous, elle est toujours la femme qui nous a laissé tomber. Elle a des défauts, elle n'est plus invincible. C'est troublant de la voir comme ça, on ne s'y attend pas en tant qu'enfant ; on n'est jamais préparé à voir sa maman devenir égoïste pour un temps. Je lui en veux encore. Alors, j'aime mieux l'appeler Marie-Claire.

Je déballe le disque, je l'insère dans mon vieux lecteur et j'appuie sur « *Shuffle* ». Je ne suis jamais d'accord avec l'ordre des chansons de toute façon. Puis, couchée de tout mon long sur mon lit avec le soleil qui plombe sur mon visage, les mains derrière la tête, je respire par le nez et j'écoute. La voix de Marie-Jo est douce, elle chante comme si elle racontait un secret très précieux sur un fond de piano juste assez mélancolique. Ses mots viennent tout de suite me toucher, me secouer. Un moment donné, elle dit :

Une fille, c'est comme un livre. / Rendu à la moitié (quand tu le comprends pas), / Ben tu laisses faire pis tu t'en vas là-bas.

C'est triste ce qu'elle raconte, mais c'est trop souvent vrai. Je pense que mon père a des pouvoirs magiques pour tout deviner, pour m'analyser, pour savoir ce qui peut me faire oublier les égratignures que j'ai sur le cœur. Il sait même comment m'éclaircir les idées quand je suis incapable de comprendre ce qui se passe dans ma jeune vie.

Pierre abandonne peut-être parce que ce serait trop long d'apprendre à me connaître et à m'aimer comme il faut. Ou parce qu'il ne veut pas prendre le risque de me faire encore plus de peine. Une fille comme moi, c'est compliqué : je suis pleine de nuances, je suis curieuse de vivre toutes sortes de sentiments et j'ai envie d'une vie intense, sans compromis. Alors je serais dure à suivre, je l'essoufflerais, l'étourdirais.

J'aime penser de même, ça me console et me redonne un peu de confiance en moi.

Vers la fin, Marie-Jo chante :

Moi, j'veux dessiner des oiseaux / qui viennent d'un pays que tu connais même pas.

Je vais essayer d'oublier, de me refaire une santé, de mieux me connaître. Je vais essayer aussi de me fabriquer des moments magiques sans penser à Pierre, sans l'inclure dans mes rêves romantiques. Ma nouvelle vie de femme, je vais la vivre sans lui. Sans la couleur de ses yeux qui, de toute façon, m'empêche de profiter de ma liberté et d'apprendre à aimer pour vrai.

C'est mon nouveau défi sentimental.

Je suis fatiguée de me voir à travers lui.

J'ouvre mon ordinateur portable, je fais craquer mes dix doigts et j'écris à mon père. Quand je suis à fleur de peau comme aujourd'hui, j'éclate en sanglots dès que j'entends sa voix. Et ça le fait paniquer à chaque fois. Je ne voudrais pas le troubler avec mes petits malheurs, il en a déjà plein les bras.

Allô papa,

Comment ça va ? Je t'écris au lieu de t'appeler parce que ça me tente pas pantoute de me mettre à brailler.

Je reviens de Québec. J'ai vu Pierre, c'était pas le fun. Il me fait de la peine parce qu'il n'est pas amoureux de moi.

Est-ce que ça t'est déjà arrivé qu'une fille veuille pas de toi ? Maman, elle a dit oui tout de suite quand tu lui as demandé d'aller faire du ski la première fois ?

Merci pour l'album, je l'écoute en ce moment. J'aime ça. Surtout Café Robinson. *On dirait que Marie-Jo me parle, que les paroles sont écrites pour moi.*

J'ai décidé d'essayer d'arrêter de penser à Pierre. Penses-tu que je vais l'oublier rapidement ?

J'espère que oui.

C'est tout.

Je t'aime,

Billie

Mon téléphone vibre, j'ai reçu un message texte. Je vois le nom de Pierre sur l'écran. Mon cœur fait le saut. Je suis tannée, mais je le lis pareil. Au cas où ça me ferait du bien pour une fois.

Hey, Billie-Lou, es-tu revenue en ville saine et sauve ?

Je fixe mon téléphone longuement. Je ne cligne pas des yeux, je tremble un peu, j'ai les mains moites. Mon corps est mêlé, on dirait. La musique joue toujours, ça crée un drôle de contraste. J'hésite entre être mélancolique ou pleine d'espoir.

Finalement, son message me donne mal au cœur, me dégoûte presque. Il est aussi confus que moi et il n'assume pas sa méchanceté. On dirait qu'il veut me tenir en laisse, me repousser, puis me ramener auprès de lui. Au cas où. Mes doigts frôlent l'écran, je m'apprête à répondre quelque chose de poli. Mais plus j'y pense, moins j'ai envie de perdre mon temps à le rassurer.

Je laisse son message sans réponse, ça me prend toute la force du monde. Je ferme mon téléphone.

Son nom de con me fait encore mal, mais je vais guérir. Ma rémission commence aujourd'hui.

Annette entre dans ma chambre sans me demander la permission, puis vient s'asseoir au pied de mon lit avec son air bête.

— Ça va-tu, Billie ? T'es toute blanche... Oh *my god !* Tes cheveux ! Sont donc ben courts !

— T'aimes-tu ça ?

— C'est différent... Tu te ressembles pas. Mais oui, c'est beau !

— Cool...

— C'tait comment Québec ?

— Correct...

— Arrête, là. Raconte. J'suis pus fâchée.

— T'avais pas à être fâchée à la base, Annette.

— *Whatever !* Allez !

Je me laisse tomber sur le dos dans ma collection de coussins doux et soupire. Je raconte tout à ma sœur. Je termine à peine mon long monologue qu'elle intervient :

— T'étais donc ben insistante !

— Insistante ?

— Tu l'as supplié...

— Non !

— Oui, un peu, là... Billie, t'es intense !

— Tu frenches tout le temps, toi, pis j'te dis pas que t'es intense.

— Tu peux pas te garrocher de même sur un gars... Surtout quand c'est Pierre, y est tellement compliqué.

— Ah, tu m'énerves, tu comprends rien, Annette !

Elle se lève, insultée, et sort de ma chambre en claquant la porte. Elle hurle :

— J'suis plus vieille, j'en sais ben plus que toi, Billie !

Je crie le plus fort que je peux, ça fait du bien pendant une couple de secondes, puis je me mets à angoisser. Au lieu de me rassurer, ma grande sœur me juge et se moque de moi. Ça me fâche. Quand on est une femme, on a le droit de vouloir faire l'amour, mais pas de le dire, de mettre ça au clair, de l'assumer ? Je suis mêlée. Maintenant, je suis gênée, j'ai honte de mes mots, de ma nouvelle fougue. Je ne pensais pas qu'il fallait se retenir.

J'étais tellement sûre de moi hier en voyant Pierre dans le bar. Pendant un instant, j'étais certaine qu'il serait nostalgique de nos baisers, de ma peau et de mes longues jambes. J'avais le goût de le toucher, d'essayer des affaires, de me laisser aller, de ne pas trop penser. Je sentais que c'était le bon moment.

Annette a peut-être raison, même si j'espère que non.

Dans le fond, Pierre, comme premier amant ou amour ou je-sais-pas-quoi, il est loin d'être évident. Je vais prendre un mauvais pli d'amour.

Mon téléphone vibre de nouveau. J'ai peur que ce soit Pierre qui insiste, mais c'est Rosine qui prend de mes nouvelles. Je lui réponds que ça va moyen, puis je relis le message de Pierre. Pour rien. Ou pour me faire mal un peu. La musique joue encore, Marie-Jo chante :

J'vas m'sauver des loups / Pis du trouble aussi / J'vas shiner, shiner */ Même ici*

Il me hante, mais ça m'apaise de penser que Marie-Jo a eu un Pierre dans sa vie, elle aussi. Ses mots m'aident à comprendre.

Je retourne devant mon ordinateur, j'ouvre ma page Facebook, je regarde des photos de gens que je ne connais même pas, je me promène sur des profils, ça me fait socialement voyager pour un moment. Je me rends sur la page de Raphaëlle, l'amie moyennement fine d'Annette, et fouille dans sa liste d'amis. Je recherche Arnaud le DJ et tombe sur trois Arnaud. La photo du premier, c'est un golden retriever dans une balançoire, celle du deuxième, un paysage montagneux et enneigé, et celle du troisième, un portrait de Bob Dylan dans la vingtaine. Je clique dessus, parcours la page, découvre une autre photo.

C'est bien lui, mais il est moins beau que lorsque je l'ai vu au party. Je suis déçue.

Je lis tout sur son mur, il y a beaucoup de filles qui lui écrivent. Je trouve un message qui vient d'Annette. C'est écrit : « Allô » avec cinq bonshommes qui font des clins d'œil. Je devrais être fâchée, il me semble, que ma sœur s'acharne à attirer l'attention plus que moi, mais je n'en ai pas la force. Ça prend beaucoup d'énergie pour détester sa sœur. Qu'elle aille le voir, qu'elle l'embrasse, qu'elle fasse l'amour avec, même, il a Netflix et du popcorn, ça pourrait être le fun pour n'importe qui, dans le fond.

Je vais la laisser faire.

Soudain, je me sens toute seule. Je ne peux plus penser à Pierre et me réconforter avec son souvenir, me dire qu'un jour on va peut-être s'aimer. Je ne peux pas me confier à Annette parce qu'elle a installé entre nous une tension qui m'irrite. En plus, mon père est trop loin et ma mère est trop triste. La ville me fait peur tout à coup, elle est si grande et je suis encore petite en dedans, je n'existe pour personne.

Ma nouvelle vie est compliquée, j'ai hâte que ce soit plus simple. J'appelle Juliette, elle ne répond pas, alors je compose le numéro de Rosine. Ça sonne deux fois et elle décroche.

— Allô, Billie !

— Allô, Rosine. Qu'est-ce que tu fais?

— J'suis à l'aéroport, je lâche toute pis je m'en vais à Punta Cana.

— Hein?

— Ben non, je fais des devoirs.

— Pour faire changement!

— Désolée...

— On va-tu au cinéma voir un film quétaine pis manger du popcorn avec plein de beurre?

— Examen dans trois jours. Peux pas. Le petit *roadtrip* à Québec a un peu gâché mon plan de travail, mettons...

— Criss!

— Ben là, relaxe...

Je lâche un long soupir très bruyant et lui souhaite une soirée excitante, pleine de dissertations et de bibliographies à rédiger. Mon sarcasme ne l'intimide pas. Elle me promet de me téléphoner après son examen, quand elle sera libre de faire toutes les niaiseries dont j'ai envie, puis raccroche. Il faudrait que je me fasse de nouveaux amis en attendant que Juliette et elle se tannent d'étudier. J'espère que ça ne sera pas trop long.

Je me déshabille, j'enfile ma robe de chambre, j'agrippe mes gougounes et je me dirige vers la salle de bain. J'ai encore peur du plancher de la douche, mais j'ai envie de sentir bon, d'être propre et de mouiller mon visage au lieu de me remettre à pleurer. Le temps d'une douche brûlante, je vais oublier que je suis toute seule en maudit dans la grande ville. Je veux aussi frotter ma peau pour chasser l'odeur de Pierre, pour éviter que son parfum me hante trop longtemps.

Demain, c'est lundi. J'ai deux cours au cégep. Je vais ouvrir grands mes yeux et faire du lèche-vitrines pour embellir ma semaine. Je vais peut-être trouver un peu de réconfort dans le regard d'un autre garçon.

Je croise ma mère dans le couloir, elle m'arrête.

— Billie, ça te tente-tu d'aller au restaurant ?

— Lequel ?

— Celui que tu veux, on est à Montréal, y a toute !

— Heu... OK.

— OK !

Son invitation me surprend. Mais c'est évident qu'on doit faire quelque chose pour adoucir notre lien ou pour le solidifier. Je ne sais pas encore si j'attends des excuses ou si j'espère qu'elle me raconte tout, qu'elle me dise pourquoi elle est partie et ce qui l'a amenée à ne plus aimer mon père de tout son cœur. Je sais par contre que j'aimerais la voir sourire plus souvent. Parce qu'une maman qui pleure par en dedans tout le temps, c'est inquiétant pour n'importe quel enfant.

Fâché ou pas.

Je me lave en vitesse et m'habille presque chic. J'enfile des collants noirs, une jupe rouge et un t-shirt gris, j'applique du rouge à lèvres, du mascara et je pince mes joues pour les rougir comme je l'ai toujours fait. On prend l'autobus jusque dans Saint-Henri, près de chez Juliette. Elle m'a parlé d'un restaurant Tex Mex, j'ai envie de l'essayer, de manger épicé. Pendant tout le trajet, ma mère tente de combler les silences avec des questions. Elle s'intéresse à mes cours, à mes amis, elle prend le pouls de ma relation avec Annette la pas fine. Je réponds par des « oui », des « non », des « je sais pas » sincères. Parce que souvent je sais vraiment pas et c'est tout.

Au restaurant, la jeune femme qui nous conduit à notre table est tellement belle que ça me fait mal aux yeux. Je l'envie. Elle a de jolies courbes, les cheveux foncés, les yeux pâles et un style différent, audacieux. Elle porte une jupe noire taille haute, un t-shirt ample et des souliers plateforme. Elle a un look sombre et c'est beau. La vaste pièce est chaleureuse, les grandes tables en bois sont toutes occupées par des groupes bruyants. La plupart des clients mangent des ailes de poulet avec leurs doigts, c'est peut-être une coutume de la place. Je me sens bien ici, et pour un instant, j'oublie le malaise qu'il y a entre ma mère et moi.

On s'assoit tout au fond de la salle, à l'écart de tout le monde, et je regarde l'hôtesse marcher jusqu'à la cuisine. Des fois, j'aimerais prendre le temps de me développer un style vestimentaire qui ferait tourner les têtes, qui me donnerait un peu plus de crédibilité dans ma vie urbaine. Mais chaque fois, je finis par enfiler des jeans et un t-shirt en me disant que les vêtements à la mode vont mieux aux autres, surtout à celles qui sont nées avec des fesses et des seins. Moi, j'ai deux foufounes gênées et pas de poitrine. Annette m'a toujours dit que ça faisait mon charme, mais j'aimerais quand même avoir un peu de chair pour arrondir les coins de mon corps.

Ma mère commande un verre de vin rouge et moi, une Corona avec un gros quartier de lime parce que ça goûte l'été et que c'est ma saison préférée. C'est drôle de boire de l'alcool avec ma mère, ça ne m'était jamais arrivé encore.

J'ai tellement vieilli ! Aujourd'hui, je bois de la bière et du vin, et j'habite en ville. En plus, j'ai fait l'amour. C'est déjà pas mal, je trouve.

Ma mère n'était pas là pour me préparer à ces choses-là. Mais je sais que ça lui fait mal quand elle pense à tout ce qu'elle a manqué.

La serveuse qui me rend jalouse nous apporte nos boissons rapidement. Je laisse tomber la lime dans ma bière, bouche le goulot avec mon pouce et vire la bouteille à l'envers pour bien mélanger le tout. Ma mère joue avec le pied de sa coupe, puis elle me confie :

— C'est drôle, c'est ma bière préférée, la Corona. C'est doux, ça fait été.

— Je pense pareil...

— Un nouveau règlement à l'appart, ça pourrait être de boire une Corona le dimanche soir.

— Avec de la lime.

Elle me fait un vrai sourire pour la première fois depuis trop longtemps.

— Avec de la lime. Promis.

Elle passe ses longs doigts picotés dans ses cheveux et se racle la gorge. Je la trouve belle et fragile. C'est bizarre de trouver sa mère fragile. Je ne m'habitue pas.

— Ton père m'a dit que tu lui écris souvent...

Cette fois, je lui réponds plus sèchement. Je suis sur la défensive.

— Tous les jours ou presque, oui.

J'exagère, j'en beurre épais. Comme pour l'agacer avec la complicité invincible qu'il y a entre mon père et moi.

— J'ai toujours aimé le lire. Il écrit bien, ton père.

— Pas le choix, il est allé à l'école longtemps...

— C'est plus que ça. Il est sensible, ça paraît dans ses mots.

La serveuse s'arrête à notre table pour prendre notre commande ; je demande un peu de tout et j'attends l'approbation de ma mère.

— Ah, moi tout me va, prends ce que tu veux.

Je sais qu'elle n'a envie de rien. Je suis pareille quand je suis triste. On m'offrirait mon plat préféré (un hamburger dégoulinant de sauce BBQ et des frites avec beaucoup de ketchup) et je refuserais sans hésiter. La tristesse coupe l'appétit.

Le temps passe lentement. La bouffe arrive, ça sent bon, c'est piquant, ça me dégourdit la langue. Je goûte à tout, j'ai littéralement la bouche en feu. Ma mère grignote, mange avec ses ustensiles, pendant que je me régale en suçant mes doigts. J'ai une pile de serviettes de table usées à mes pieds, mais je m'en fous, c'est bon et ça fonctionne de cette façon ici. J'ai regardé autour, je ne suis pas la seule.

C'est ma mère qui est décalée avec son appétit poli.

Elle dépose sa fourchette, prend une gorgée de vin et me regarde dans les yeux avec un regard doux de maman qui veut reprendre le temps perdu.

Elle me dit :

— J'ai remis mon cœur de maman à *on*, Billie.

J'essuie mes doigts graisseux sur une serviette de table. Je pèse mes mots pour éviter de paraître fâchée.

— Je pensais pas qu'on pouvait le mettre à *off*.

— Moi non plus… Mais j'ai jamais arrêté de t'aimer. Et ton père a bien pris le relais, hein ?

— Oui, c'est correct. Papa est rendu un peu comme mon *best*.

— Juliette et Rosine ?

— Elles aussi, oui.

— Et Annette ?

— Quand ça y tente.

— T'es bien entourée.

— Oui… Toi es-tu bien entourée ?

Ma question la prend au dépourvu, elle soupire, c'est lourd.

— J'ai toi pis Annette… C'est ben en masse.

Ses yeux se remplissent d'eau. Je panique parce que je déteste voir mes parents pleurer, ça me fait pleurer aussi et dans ce temps-là les larmes coulent sans arrêt. Mais elle renifle un bon coup et éponge sa montée de tristesse. Elle garde le contrôle finalement, comme d'habitude. Pour tenter de la consoler ou juste pour la divertir, j'ai envie de lui parler de Pierre. Je bois une gorgée de ma Corona, prends une dernière bouchée piquante et m'essaie.

— Pendant que t'étais partie, j'suis tombée en amour. Genre vraiment en amour.

Elle lève les yeux, ils brillent, mais pas à cause des larmes, cette fois-ci. Je continue :

— Il s'appelle Pierre, c'est *full* laid comme nom. Je sais que ton frère s'appelle Pierre, mais je dis juste que c'est bizarre pour un gars de son âge. Y est un peu plus vieux que moi, y fait du vélo, y est super bon, y passe dans le journal souvent. Papa trouve qu'y ressemble à Kevin Bacon. Je l'ai googlé, c'est un peu vrai. Mais tu l'aimerais pas. Parce qu'il est pas capable d'être amoureux de moi. J'essaie encore de savoir pourquoi. Il m'aime juste pas. Mais on a fait des affaires pareil, genre on s'est embrassés plein de fois. Pis d'autres trucs aussi, mais en tout cas. Tu le sais, là, qu'est-ce qu'on fait à mon âge. J'ai pas besoin de toute te raconter...

La serveuse m'interrompt en venant débarrasser la table. Ma mère commande un autre verre de vin. Ça coupe mon élan, je suis un peu gênée d'avoir tout déballé. Ça faisait longtemps que je n'avais pas eu une conversation avec ma mère, une vraie conversation avec des confidences, des secrets et tout. Je ne suis plus habituée. Elle se lève, contourne la table, se penche vers moi et me serre fort, fort, fort, du plus fort qu'elle peut, sûrement. Je me mets à pleurer, mais ça me fait du bien. Elle m'enveloppe avec ses longs bras douillets de maman qui m'aime pour la vie. Elle sent bon la vanille, juste la vanille, rien d'autre et c'est parfait. Mes larmes mouillent son épaule, elle me serre encore plus fort. La serveuse revient avec le verre de vin, le dépose sur la table et se sauve pour éviter de déranger notre moment important pour mon cœur de fille mêlée. Ma mère me dit tout bas :

— J'ai hâte que tu recommences à m'appeler maman.

Je me dégage doucement de son étreinte et lui dis, avec ma voix la plus sincère du monde :

— Bientôt, promis.

Et je le pense vraiment. J'ai hâte, moi aussi, de retrouver ma mère d'avant. Même si ça ne sera plus jamais pareil, je sais qu'on peut développer une complicité toute neuve. On s'aime trop, c'est plus fort que nous.

J'ai bien fait d'accepter son invitation.

En arrivant à la maison, je me jette à plat ventre sur mon lit et j'ouvre mon ordinateur portable. Je jase un peu avec Juliette sur Facebook, je regarde les nouvelles photos de Rosine sur son profil. Elle fait des grimaces, mais elle est belle quand même.

Je tape « Pierre Forêt » dans la barre de recherche. Je me retiens à mille mains pour ne pas l'ajouter de nouveau comme ami. Je l'ai supprimé de mon profil l'automne dernier, ça me faisait trop mal de voir ses photos tout le temps. Dans un autre contexte, j'aurais cliqué sur son nom, j'aurais fouillé son profil, je me serais imaginée avec lui, j'aurais rêvé à son bras autour de mes épaules et à un portrait de nous où on s'embrasse, un autre où on sourit au resto, où on rit dans la rue, à la montagne, sur le bord d'un lac ou au bout d'un quai. Mais là, c'est différent. Je pense que je peux me contrôler, maîtriser mes envies, m'empêcher de penser à lui et à moi ensemble, main dans la main, bouche sur bouche.

Je m'allonge sur le dos, regarde le plafond de ma chambre. Les craques de la peinture forment un cheval qui galope et une pointe de pizza. Je suis de bonne humeur, ma mère a eu l'air heureuse ce soir. Ça sera peut-être moins long que je pensais de nous guérir. Je croise les doigts et les orteils, fais un vœu comme avant, demande à la Vie d'être fine avec ma mère, d'arrêter de la punir avec des élans de culpabilité. J'espère qu'elle va m'écouter. Je lui souhaite aussi de nouveaux amis urbains, un peu moins de Zumba et un peu plus de bonheur. Ah, pis un gros chèque pour qu'elle puisse se gâter une fois de temps en temps.

Mon père a répondu à mon dernier courriel.

Ma Billie,

J'ai eu le cœur brisé plus d'une fois. Ça arrive souvent, je crois. On s'en remet toujours.

On tombe amoureux plus d'une fois aussi. On guérit et on recommence.

C'est ça la beauté de la vie. On apprend et notre cœur se solidifie.

Écoute Marie-Jo en boucle au besoin.

Papa

P.S. Ta mère m'a reviré de bord au moins quatre fois avant d'accepter. Et finalement, on s'est aimés longtemps.

Je sors mon téléphone de ma poche, j'ouvre le dernier message de Pierre, je le relis quatre, cinq fois, puis je supprime son numéro de téléphone.

Pas de message, pas d'angoisse, pas d'attentes.

Plus de Pierre. Plus jamais.

S'il vous plaît, madame la Vie, aidez-moi donc à m'en débarrasser pour de bon.

Chapitre 4

Charlo + Annette

J'ai hâte d'avoir un coup de soleil. C'est fou, je sais, mais ça me manque. La couleur, la sensation de brûlure, le petit pincement, la grosse couche d'aloès avant d'aller dormir, la peau qui bronze après, les taches de rousseur qui se multiplient.

J'ai hâte d'avoir un coup de soleil parce que ça arrive pas mal juste pendant les vacances d'été. L'hiver est long et un peu plate, le mois de mars me gèle encore les doigts, mais la neige va fondre bientôt, je le sens, je grelotte moins. Je travaille fort au cégep ; j'écris plein de poèmes, je rédige des analyses, j'ai lu *L'Amant* de Marguerite Duras et il a pris la place du *Petit Sauvage* au top de ma liste de livres préférés. J'aurais aimé l'écrire tellement c'est beau. Je l'appelle mon livre de vie. C'est l'histoire d'un premier amour, d'une première fois plus grande que nature et ça m'a apaisée de constater que c'est fou pour d'autres aussi.

Je vois à peine Rosine et Juliette, elles s'enferment à la bibliothèque toutes les fins de semaine et leur seul sujet de conversation, c'est l'école. Ça m'ennuie. On dirait que je suis la seule qui ait besoin de vivre fort, de me poser des questions, de changer d'air. C'est peut-être parce qu'elles sont déjà blasées de la grande ville, elles ont eu une session de plus que moi pour s'exciter devant ses charmes. Pour l'instant, j'ai trop peur de passer à côté de quelque chose. J'ai besoin de me brasser en dedans pour sentir que je profite de mes dix-huit ans, tandis qu'elles se rassurent avec des bonnes notes et des grands projets d'avenir. Elles ont de la difficulté à me suivre, je le sais, je le sens.

Pour éviter des chicanes ou des malaises, je me suis calmée un peu. Je m'énerve moins, je m'empêche de vivre en montagnes russes. Quand on vieillit, j'imagine qu'il faut faire des compromis pour garder ses grandes amies.

Des fois, je fais lire mes poèmes à Annette ou je lui propose d'aller se promener au centre-ville pour faire du lèche-vitrines, mais c'est un peu un fantôme, elle aussi, ces temps-ci.

Je pense qu'elle est en amour. Elle a recommencé à se mettre trop de parfum et elle fait souvent l'école buissonnière. C'est un signe.

Ma mère et moi on sirote un *latte* décaf au café en bas de chez nous. Le gars au comptoir m'a fait un cœur dans la mousse.

Peut-être qu'il m'aime.

Ou peut-être qu'il est juste obligé de faire des cœurs à tout le monde.

À six dollars le café, ça vaut bien un peu d'amour dans du lait.

Justement, on jase d'amour parce que depuis mes aveux, elle n'arrête pas de me poser des questions sur Pierre. On essaie de déterminer les critères de base de mon prochain prince charmant. On rit, ça dérange les gens qui étudient autour. Jusqu'à maintenant, sur notre liste, il y a :

- non-fumeur (parce que fumer c'est con) ;
- cheveux de n'importe quelle couleur sauf blond super brillant ;
- yeux de n'importe quelle couleur sauf bleu vraiment bleu ;
- fin (parce qu'être pas fin, c'est pas à la mode) ;
- drôle (mais pas trop, parce qu'un gars trop drôle, d'habitude, ça cache quelque chose) ;
- amateur de chiens (surtout les saint-bernards) ;
- pas amateur de chats (ça sert à rien et ils sont hypocrites) ;
- chialeux (juste un peu parce que chialer à deux, c'est le fun, et moi je chiale tout le temps).

C'est tout ce qu'on a pour l'instant, mais la liste reste ouverte, on pourra toujours ajouter un point ou deux ou mille. Je me dis que c'est peut-être impossible de rencontrer un garçon comme ça, mais il existera au moins dans ma tête. Jusqu'à ce que je tombe en amour pour vrai, d'un coup, sans l'avoir prévu.

Je me dépêche de finir mon café tiède parce qu'Annette veut que je l'accompagne quelque part ce soir. Pour une fois que je peux embellir mon quotidien, je ne voudrais pas passer à côté. J'avais prévu rattraper mon retard dans *Grey's Anatomy*, manger des biscuits aux pépites arc-en-ciel en pyjama et peut-être entamer mon analyse sur Kafka, mais sortir avec ma grande sœur, ça m'inspire pas mal plus. Elle ne m'a pas donné de détails, mais elle a l'air excitée. Depuis l'histoire avec le DJ, on n'a pas eu la chance de se reprendre et d'avoir du vrai fun de sœurs ensemble. J'ai hâte.

J'embrasse ma mère sur le front et je quitte le café. Je veux prendre le temps de bien choisir ce que je vais porter. Ça fait longtemps que je ne me suis pas sentie belle de la face et du corps. Du cœur, aussi.

Une fois dans ma chambre, je vide ma garde-robe, j'essaie presque tout : mes robes colorées, mes cols roulés sévères, mes leggings imprimés, mes jeans troués. Je choisis des collants noirs, une jupe noire et un t-shirt noir, mais je me dis que je vais compenser avec un grand sourire enthousiaste. J'essaie de copier le look sombre de la belle serveuse de l'autre soir. J'applique du rouge très foncé sur mes lèvres et je pince mes joues.

Je suis prête. J'attends Annette qui prend son temps ; elle hésite entre ses jeans bleus qui allongent ses jambes ou sa jupe jaune qui fait été. Je lui conseille de rester sobre parce que c'est ma thématique à moi. Mais elle enfile sa jupe pour me contredire.

Pendant qu'elle se maquille, je vais dans la cuisine et fais des provisions de cannettes de bière pour la route ; j'en cache quatre dans ma sacoche. Mon téléphone sonne, c'est mon père. Sa photo apparaît sur l'écran, il porte un nœud papillon et des lunettes rondes comme Harry Potter. C'est moi qui les ai choisies avant de partir en ville. Je réponds.

— Allô, papa !

— Allô, Billie ! Qu'est-ce que tu fais ?

— Je remplis mon sac de cannettes de bière, pourquoi ?

— Billie…

Il n'est pas fâché pour vrai, il me fait confiance, je le sais.

— Juste deux pour la route, papa.

— Ta mère dit quoi de ça ?

— Elle dit rien.

Un petit silence s'installe et s'étire. Je le brise parce que je n'ai pas envie d'avoir une conversation trop sérieuse au téléphone.

— Je sors avec Annette ce soir. Dans un bar pas loin.

— Comment elle va ta sœur ?

Il sonne inquiet.

— Correct, j'pense... Elle est bête avec maman, mais avec moi c'est moins pire.

— Soyez douces avec votre mère...

— J'suis très douce ! Annette est juste *frue* pour tout en général, faut pas que *mom* le prenne personnel.

Je mens un peu, je sais qu'Annette est désagréable parce qu'elle a de la peine, parce qu'elle est encore fâchée contre notre mère d'être partie aussi loin, aussi longtemps, au mauvais moment. On dirait que ce qui m'a aidée, moi, c'est d'y avoir justement trop réfléchi. Je prends toujours la peine d'analyser mes émotions, je les décortique, j'écris des poèmes, je vérifie le pouls de mon cœur tous les jours ou presque. Ça m'aide à ventiler, à comprendre plus vite aussi, des fois. Annette, elle, garde tout ça en dedans. C'est pour ça qu'elle prend plus de temps à s'adoucir.

Mon père soupire. Il aimerait qu'on soit bien toutes les trois. Il a tellement un grand cœur que des fois il oublie que c'est notre mère qui a tout gâché. Je le rassure en lui promettant d'essayer de faire parler Annette avant qu'elle explose ou qu'elle aille trop loin. Je lui dis « je t'aime » trois fois, il répond « moi plus » trois fois, et je raccroche en m'ennuyant encore plus de lui.

Je zippe mon sac et crie à Annette de se grouiller. Elle sort de sa chambre, toute prête, toute belle. On attrape l'autobus juste à temps et on s'installe complètement à l'arrière. On observe les gens autour, tout le monde s'est mis beau pour sortir on dirait. Annette est impatiente, elle tape du pied et serre mes doigts en souriant, ça fait changement. Je sors une cannette de bière de mon sac, l'ouvre et bois une première gorgée avant de la tendre à ma sœur.

— On peut-tu aller en prison pour avoir bu dans un autobus, Annette ?

— Oui.

— Sérieux ?

— Ben non, nouille ! Sois discrète, c'est tout.

Je lui reprends la cannette des mains et bois deux gorgées de suite, deux petites pour faire vite. Une dame à côté de moi me fait des gros yeux, mais je lui réponds avec un sourire, alors elle détourne la tête. Annette est hypnotisée par son cellulaire maintenant, je n'existe plus.

— Annette ! À qui t'écris ?

Elle m'ignore.

— Anneeeeeeette !

— J'écris à Charlo.

— C'est qui ?

— Ben... C'est mon chum...

— T'as un chum ?

Je le savais.

— Ouais ! On s'en va le rejoindre, tu vas l'aimer.

— Y est-tu beau ?

— *Full* beau. Le plus beau.

Je lève ma main pour qu'elle me fasse un *high five*. Elle tape et je peux voir qu'elle est amoureuse à travers ses yeux. La chanceuse. Je suis contente pour elle. Un chum, c'est sûrement un bon exutoire quand ça ne va pas très bien à la maison. Reste moi. Et ma mère. Mais on dirait que de l'imaginer avec un autre homme que mon père, ça me donne envie de grimacer.

Annette me fait signe de me lever, on est arrivées. On descend et on marche trois minutes pour se rendre sur la rue Mont-Royal. On s'arrête devant un bar tellement bondé que les gens font la file pour entrer. Il y a beaucoup de filles en jupe et collants comme moi, en bottillons *vintage* et en t-shirt pas de soutien-gorge sous leurs manteaux de jeans. Elles grelottent toutes.

Annette fait de grands signes au portier géant puis lui saute dans les bras. Il la soulève et sa jupe jaune remonte dangereusement, alors je tire discrètement dessus. Il pose ma sœur par terre, me serre la main et nous ouvre la porte. On entend les gens chialer dans la file, je me sens comme une princesse de la grande ville. Ça prenait juste ça : passer devant tout le monde pour rentrer dans un bar.

À l'intérieur, ça sent la bière de toutes les couleurs et le parfum de toutes les filles. Ici, tout est en bois : les tables, les chaises, les murs, le plafond. C'est beau, on se croirait dans un chalet en pleine ville. On rejoint une bande de garçons installés sur une banquette en coin. Ils boivent des pintes, ils rient fort, ils tapent leur verre sur la table, ça éclabousse pas mal, mais ils s'en foutent. Ma sœur me présente à tout le monde, elle sourit beaucoup, elle est de bonne humeur, on dirait une reine. Annette est belle, plus que moi, encore, comme toujours. Elle s'assoit sur les genoux du plus grand et du plus barbu, puis elle me regarde avec des croissants de lune dans les yeux.

— Ça, ma Billie, c'est mon chum, Charlo. Charlo, c'est ma p'tite sœur, Billie.

Je lui serre la main et l'observe comme il faut. C'est intimidant de rencontrer le garçon qui fait battre le cœur de ma grande sœur. Je veux qu'il m'aime, mais en même temps, je veux qu'il ait un peu peur de moi, qu'il soit conscient que c'est moi qui aime Annette plus que tout, pas lui.

Il porte une veste de jeans et une casquette de baseball. Il a l'air un peu négligé, mais ça semble calculé. Sa barbe est longue, ses cheveux aussi, ils dépassent de sa casquette, ils sont bruns comme ceux de n'importe qui. Tout le monde a les cheveux bruns. Ses mains sont tatouées, on voit à peine la vraie couleur de sa peau, et ses jeans sont troués. Je n'aurais jamais pensé qu'Annette puisse être attirée par quelqu'un comme lui. C'est vraiment un homme, il a l'air fort et capable d'être méchant. C'est peut-être à cause de sa grosse voix, de ses dents maganées par la cigarette et de ses rides creuses au coin des yeux. Je m'installe en face de lui pour continuer de l'analyser en douce. Le garçon à ma droite se retourne vers moi et se présente ; il s'appelle Josh, il parle à peine français et il a de beaux yeux noirs.

— *Annette's baby sister !*

— Ouaip !

Je me sens toute jeune, toute fragile, entourée de ces gars-là. Je suis la petite sœur de l'autre. Ils sont plus vieux, ils sentent la bière. Ils portent du jeans, du vrai, bien épais, bien usé, bien solide. Charlo se met à raconter une histoire. Tout le monde l'écoute ; c'est sûrement le chef, vu qu'il fait plus peur que les autres. Il enlève sa veste et nous montre le tatouage d'une femme en robe rouge sur son bras.

— Avant, c'tait mon ex à poil, mais vu qu'on n'est pus ensemble, j'ai demandé à mon tatoueur de l'habiller. Par respect, t'sais… J't'un bon gars.

Ses amis se mettent à rire, je regarde Annette pour voir si elle trouve ça drôle ou si elle est mal à l'aise de l'entendre parler de son ex comme ça. Elle se tape sur les cuisses tellement elle s'amuse. Moi, j'hésite. Ça me donne un air mature de ne plus avoir le rire facile, je trouve. Et je me rends compte que ça m'aide à combattre ma gêne. En ce moment, j'ai de la difficulté à comprendre pourquoi je ne suis pas bien ici, entourée des nouveaux amis de ma sœur. Je finis par ricaner doucement, pour éviter un malaise, mais au fond, je ne peux pas m'empêcher de les trouver insignifiants et vulgaires.

Je sirote une pinte de cidre même si c'est dégueulasse. Ça goûte la vieille pomme et l'alcool. Mauvais choix. Annette frenche son barbu d'amour pendant que je joue avec mon téléphone pour faire comme si j'étais occupée. Je texte Juliette et Rosine, mais je les dérange sûrement, elles prennent les plus longues minutes du monde pour me répondre. C'est sûr qu'elles font des devoirs.

Puis, comme pour s'occuper de moi un peu, celui qui s'appelle Josh se retourne de nouveau, mais pour de bon cette fois-ci. Il passe son bras autour de mes épaules et me sourit, il a des fossettes dans les joues, c'est beau. Il sent le feu de camp, le charbon, le bois mouillé.

— Tou faiss quoi Billy ?

Il rit de son français. Sa tentative me charme.

— Ah, je niaise sur Instagram, là...

C'est automatique ; un gars s'enfarge dans son accent et ça me ramollit le cœur. Comme avec Duncan, l'Américain beau comme un coucher de soleil sur la plage que j'avais rencontré au parc aquatique, il y a deux étés de ça. J'essayais de lui faire dire « Tu es magnifique », mais ça sortait toujours comme « Tou èss magnificent ». Je pense que je n'étais pas un très bon prof. C'est vrai que j'avais toujours envie de l'embrasser quand il se trompait. Comme pour l'encourager.

Faudrait d'ailleurs que je l'appelle bientôt. Je pourrais aussi lui écrire, c'est moins épeurant. Je lui demanderais s'il est maintenant capable de parler français, s'il s'est pratiqué, s'il m'a oubliée. Ce gars-là, j'y pense encore parfois, il traîne dans ma tête.

Quand la vie m'ennuie, il m'arrive d'aller le chercher. On dirait qu'il faut toujours avoir quelqu'un à qui penser. Ça nous prend des yeux à imaginer, une voix à nous rappeler, des moments à repasser en boucle dans notre tête. Pour garder notre cœur au chaud.

Malgré ma nouvelle résolution, mon nouveau défi sentimental, je fais ça tous les soirs. Je ferme les yeux et j'imagine l'Américain, le DJ ou Pierre qui me dit des mots d'amour, qui m'embrasse avec fougue et qui me touche la peau comme si j'étais du velours. Je pense tout le temps à l'un d'eux pour me convaincre que je suis belle pour quelqu'un quelque part. Loin de moi ou pas.

J'ai peur que Pierre me hante jusqu'à ma mort. J'ai fait l'amour avec lui, il est plus compliqué à oublier.

Josh continue de jaser, il me parle tout près du visage, comme si ça aidait à mieux le comprendre. Mais il est poche en français et j'ai de la difficulté à suivre ses histoires de brosse. Elles ne m'intéressent pas tant que ça, de toute façon. Je lève les yeux vers Annette, elle est blottie dans le creux de l'épaule de Charlo, elle a l'air bien, on voit presque son cœur battre à travers son t-shirt tellement il doit sauter fort.

La serveuse s'arrête à notre table, les garçons commandent d'autres bières, moi je lui fais signe que je n'ai besoin de rien; je n'ai bu que trois mini-gorgées, ça descend lentement. Charlo lève le bras et lui crie: « Ma belle Audrey, amène du Jameson pour la gang, pis pour la p'tite aussi, tant qu'à y être ! »

Tout le monde rit, sauf moi. Cette fois-ci, j'ai choisi de ne pas rire, c'est très assumé. Ça met Annette mal à l'aise, alors elle s'enfonce encore plus dans les bras de Charlo. Elle me lance des éclairs avec ses yeux. Je me sens de plus en plus petite. Je suis peut-être en train de disparaître, mais ça ne serait pas si grave. Ça m'empêcherait de rester là à faire semblant de jaser avec un gars qui sent la toundra maganée par le feu.

Pierre sentait la forêt, mais autrement. À ses côtés, je me croyais perdue dans la forêt boréale avec le soleil qui brille sur le lac pas loin, les oiseaux qui sont fins, le vent qui se fait doux, les feuilles qui volent tranquillement, la rosée qui rafraîchit le temps et qui fait briller les fleurs sauvages.

La serveuse revient et aligne les shooters sur la longue table. Tout le monde se dépêche de les boire, moi je prends mon temps, je tiens le mien entre mes doigts, je le sens, je trempe mes lèvres. Je les regarde faire, je vois Annette grimacer. Et à l'abri des regards, je lance le liquide par-dessus mon épaule et grimace à mon tour. Les gars tapent leur verre plusieurs fois sur la table; c'est pas le premier, on dirait.

La soirée continue, s'intensifie. Annette est maintenant debout au milieu du bar, elle danse avec Charlo, ça me fait tout drôle. On dirait qu'elle vieillit d'un coup quand elle est dans ses bras. Je me glisse au fond de la banquette et me blottis auprès de personne en attendant que ma sœur se tanne de danser et me donne un minimum d'attention. Josh insiste pour que je le suive sur la piste de danse, je lui fais des gros yeux de petite fille qui veut qu'on la laisse tranquille et il abandonne. J'observe Charlo se coller contre ma sœur, lui toucher les fesses, prendre son visage dans ses grosses mains et l'embrasser fort. Il me fait peur. J'ai soudain l'impression qu'il pourrait tout briser autour: les chaises en bois, les verres en vitre, le cœur d'Annette. Il me surprend à le dévisager et m'adresse un sourire forcé; il me montre toutes ses dents. Ça me donne des frissons dans le dos.

Je me lève et m'approche d'eux, je dérange leurs pas de danse intenses, ça exaspère Charlo, il soupire. Je dis dans l'oreille d'Annette que je suis fatiguée, que j'ai envie de dormir, que je vais prendre un taxi.

— Voyons Billie, déjà? T'es poche!

Son regard est vide, elle s'inquiète pour Charlo qui s'impatiente à côté.

— J'ai pu le goût. Ça va me coûter combien de prendre un taxi jusqu'à la maison, tu penses ?

— Mille piasses...

Charlo éclate de rire, Annette est fière.

— T'es conne ! Combien ? J'ai vingt-cinq piasses sur moi.

Charlo se place entre nous deux.

— Parle à ta sœur sur un autre ton, la p'tite.

Ça m'énerve qu'il se mêle de ça, c'est tellement condescendant. Je le regarde droit dans les yeux ; il transpire, il sent l'alcool, il m'écœure. Je crie :

— Toi, va donc boire un verre d'eau, ça va te faire du bien, Charlo.

Ma sœur est furieuse, ses dents sont serrées, elle me dévisage. Je secoue la tête, découragée, et elle me fait signe de partir au plus vite. Je n'ai même pas le temps de voir la réaction de Charlo, je me sauve, le mal est fait.

Je sors du bar et le vent de la nuit me fouette le visage. Je lève le bras, un taxi s'arrête et j'embarque. Je somnole sur le chemin du retour avec comme trame de fond le monologue interminable du chauffeur qui se sent sûrement tout aussi seul que moi. J'ai peur qu'Annette soit trop en amour pour voir que son chum est tout crotté. Je croise les doigts, je ne l'aime vraiment pas, elle mérite un gars doux et drôle et poli. Pas un grand impatient qui boit trop.

En arrivant à la maison, j'ouvre mon ordinateur. J'ai envie de me vider le cœur, c'est devenu une vraie routine.

Salut papa,

Il est tard, je reviens du bar. J'ai bu une pinte de cidre et c'est tout, c'était dégueu.

J'ai rencontré le nouveau chum d'Annette. Il s'appelle Charlo. Elle t'en a parlé ?

Je ne l'aime pas pantoute.

La vie en ville c'est plus dur que je pensais. J'ai hâte d'être bien.

Billie

Chapitre 5

Erik avec un k

Le mois de mai se grouille, il est presque là, on sent l'été qui s'en vient. J'ai plus d'énergie que d'habitude, je vois le soleil souvent et ça me fait sourire. Le matin, les oiseaux me réveillent en même temps que le trafic. Je peux m'imaginer des vies plus belles que la mienne en roulant dans mes draps avant de me lever pour de bon. C'est bientôt la saison des robes presque trop courtes, des coups de soleil, des gougounes pas juste dans la douche, des promenades en vélo, des cheveux dans le vent, de la crème solaire, du gazon qui sent bon, des jeux de marelle sur les trottoirs, de la limonade maison.

C'est bientôt la saison de la slush à la framboise bleue aussi, mais ça, je n'en bois plus. Même si c'est bon.

Je viens de terminer mon dernier examen avant les vacances. J'attends l'autobus à la sortie du cégep avec un café trop chaud entre les doigts. Deux étudiants se minouchent sur un banc et la musique dans mes écouteurs n'est pas assez forte pour enterrer leurs becs fatigants. Plus les minutes passent, plus je soupire fort. Le couple se lâche la bouche de temps en temps pour me jeter un regard méprisant. Je m'en fous.

Tout d'un coup, un grondement, un bruit beaucoup plus intense que celui des baisers mouillés enterre complètement ma nouvelle chanson préférée (*Big City Life* de Mattafix, pour faire concept avec ma nouvelle vie). Un garçon sur une planche à roulettes arrive en coup de vent, accroche brusquement mon sac à dos et me fait tomber sur le trottoir, les fesses dans un petit tas de mégots de cigarettes poussiéreux. Mon café tombe un peu plus loin, le liquide brûlant fume par terre. Au moins il ne s'est pas renversé sur moi.

Assise sur le ciment, je regarde s'éloigner le maudit pas prudent sur quatre roues. Le couple ricane dans mon dos. Ils sont bien enlacés, bien scotchés l'un à l'autre pendant que le petit fendant tourne le coin sans s'apercevoir qu'il vient de jeter mon orgueil par terre. J'ai la face rouge, les fesses tachées de cendre dégueulasse.

Je crois que si j'avais été avec Annette, on l'aurait rattrapé pour le chicaner. Si j'avais été avec Juliette ou Rosine, on aurait ri. Mais là, il n'y a que moi. Et faire rire de soi par des amoureux, c'est pas drôle.

Le cœur battant, le visage brûlant, je me relève et j'attends, mais l'autobus ne vient pas. Même le roi et la reine de l'amour se découragent et quittent leur nid. Je poireaute encore cinq minutes et je me tanne aussi. Je vais marcher, le soleil tout jeune me réchauffera et le vent fera flotter ma robe. Il vente beaucoup, c'est moins doux qu'à la campagne.

Je croise des étudiants qui célèbrent la fin de session sur des terrasses, un resto mexicain où les serveurs portent d'énormes sombreros, un cinéma, une rôtisserie, une confiserie. Il y a plus de commerces ici que dans tout le centre-ville de mon petit patelin, ça m'impressionne encore même après quatre mois. Tout est là, sur un petit bout de rue. Les étudiants s'entassent dans les cafés, ils squattent le Wi-Fi, ils tètent leur cappuccino, ils cruisent sur Facebook. Leur vie a l'air belle, ils restent en gang, ils rient fort et ont de belles coupes de cheveux.

Je pensais faire tout ça : traîner dans les corridors du cégep avec Juliette et Rosine, jouer des tours à du monde, étudier juste un peu, boire des bières tard le soir... Mais mes amies sont tellement occupées qu'on s'est éloignées depuis le début de la session. Elles sortent avec deux frères qu'elles ont rencontrés dans le sud durant la semaine de relâche, alors elles passent leurs week-ends à faire des doubles *dates* mémorables pendant que je ne raconte pas grand-chose d'intéressant dans mon journal intime. J'ai commencé à créer des acrostiches avec les prénoms des gars que je trouve beaux à l'école, mais c'est vite devenu plate. Je me suis fait une amie dans mon cours de peinture à l'huile, Jeanne, mais plus je passe du temps avec elle, plus je la trouve ordinaire et beaucoup moins merveilleuse que mes vieilles amies occupées. La barre est haute, je suis tout le temps déçue.

Ça ne se passe jamais comme je veux.

Je marche vite, je traverse la rue, j'évite un cycliste, je croise un chien-saucisse et son maître. C'est là que j'aperçois le gars pas prudent, un pied sur sa planche à roulettes, qui regarde dans ma direction. Il sourit. Il lève la main, me fait un signe gentil comme pour s'excuser, un étrange signe de *gentleman* pour un gars qui a l'air aussi tannant. Je monte sur le trottoir et lui fais face. Il est grand.

Une courte, courte cigarette entre les dents, il marmonne :

— J'm'excuse pour t'à l'heure...

La fumée glisse entre ses lèvres et se mélange à l'air tiède. Je trouve ça beau. Ma mère ne serait pas très fière. Sa mâchoire est bien découpée, ses cheveux sont châtains.

Pas blonds. Châtains. Pas pareil pantoute.

Je lui réponds un « s'correct » gêné et l'observe.

Il a un œil au beurre noir. Le droit.

Il porte des *skinny* jeans, un t-shirt blanc qui pourrait habiller deux personnes de plus et une veste grise par-dessus. On voit le bout d'un bas de laine sortir d'une de ses espadrilles tellement elles sont usées. Son bras droit est blessé et son plâtre est recouvert de dessins au Sharpie (un ver de terre qui sourit et une paire de seins, entre autres). Il pince ce qui reste de sa cigarette avec ses doigts valides, la jette par terre et l'écrase avec son pied, puis sort un paquet de gomme de sa poche. Il en déballe une du mieux qu'il peut d'une main, la lance puis l'attrape avec sa bouche. Direct dedans.

— T'en veux-tu une ?

— Non, c'est beau, merci...

— Ma mère dit toujours que j'dois mâcher une gomme après chaque cigarette. Surtout quand y a des filles autour. C'est plus poli.

— Est *wise,* ta mère.

— Ouaip ! C'est la meilleure.

Sa mâchoire se crispe, ses muscles se tendent à chaque fois qu'il serre les dents, sa force m'impressionne. J'ai un peu chaud, ça me rappelle l'époque où la température de mon corps variait tout le temps à cause de Pierre. Ça recommence peut-être. On ne sait jamais quand ça va arriver, ces affaires-là. Je brise le silence.

— T'as le bras cassé ?

— Heu, ouin.

— Qu'est-ce qu'y t'est arrivé ?

— Tombé en *skate*.

— Ça fait du sens. Pis ton œil ?

— Même affaire.

— OK...

Il sourit, il a l'air fier. On dirait qu'il aime avoir le bras cassé et un œil au beurre noir.

— Heu, moi c'est Erik. Avec un k. Je sais pas pourquoi. Je le précise parce que si tu veux me trouver sur Facebook à un moment donné, c'est plus simple.

— Moi, c'est Billie. Billie "ie".

— C'est noté.

Un petit silence nous rend mal à l'aise tous les deux. Il plonge sa main plâtrée dans sa poche et en sort son paquet de cigarettes. Il en tient déjà une autre, bien longue, entre ses lèvres, mais il ne l'allume pas. Il marmonne une excuse et saute sur sa planche. Il s'éloigne et m'envoie la main sans me regarder, en évitant les couples qui se promènent main dans la main. Il est habile, il zigzague, il disparaît.

Moi, je suis plus ou moins agile à marcher sur la terre ferme, alors je l'envie de rouler aussi facilement sur le trottoir. Sûrement qu'il a le cœur fougueux à se promener comme ça. C'est beau à voir aller.

Erik avec un k. J'ai le don de tomber sur des gars avec des noms pas de bon sens.

Maudit *pattern*.

Je marche jusque chez moi et croise de belles personnes. Des fois, on me sourit et ça me prend par surprise. D'autres fois, on me bouscule parce que je n'ai pas encore compris de quel côté du trottoir il faut marcher. C'est correct, j'apprends les règles de la grande ville tranquillement pas vite. J'en sais déjà pas mal.

En entrant dans l'appartement, je tombe sur ma mère qui prépare sa nouvelle chorégraphie de Zumba dans le salon avec ses écouteurs dans les oreilles. Elle est dans sa bulle, elle danse, elle a l'air bien. Peut-être qu'elle est amoureuse. Ou peut-être qu'elle aime vraiment la Zumba. La porte d'entrée claque, ma mère sursaute et elle appuie sur « Pause ».

— Pis, ton examen, ma Billie ?

— Correct.

— T'as fini ta session ?

— Oui !

— Vas-tu célébrer ?

— Juliette et Rosine sont au mariage du cousin de leurs chums, pis Annette est avec Charlo, j'pense.

Le visage de ma mère s'assombrit un peu. Elle n'est pas certaine de l'aimer non plus, on dirait.

— Elle le fréquente encore, hein?

— J'pense que oui... Je les ai entendu parler au téléphone hier. Ils se chicanaient, pour faire changement.

Ma mère soupire. Ça la préoccupe vraiment. C'est difficile de voir sa fille travailler si fort pour se faire aimer si peu, j'imagine.

— Veux-tu qu'on se fasse une soirée cinéma? On pourrait écouter des vieux Disney en cassettes!

— J'ai le goût d'écrire des poèmes ce soir. Demain, peut-être...

Elle me sourit avec ses grands yeux de maman et remet ses écouteurs. Je lance mon sac à dos au bout de mes bras, cours jusque dans ma chambre et m'enferme pour écrire dans mon journal.

J'ai le cœur libre, je me sens légère, légère. C'est presque l'été. Et évidemment, l'été, ça me fait penser à Pierre, c'est pas de ma faute. Je revois ses bras musclés juste assez, ses cuisses fermes, son torse brillant, ses lèvres douces de gars qui n'a jamais besoin de lipsyl, ses grandes mains fortes, sa voix d'homme qui me fait peur et qui m'énerve le dedans en même temps. Je l'entends encore prononcer mon surnom: « Billie-Lou, Billie-Lou, Billie-Lou. » Sur une page vierge, je dessine un cœur avec un diachylon, un vélo avec les roues toutes croches, puis un verre de slush avec un gros X dessus. Je fais mon deuil comme je peux. Je revois Erik rouler vite, le vent dans les cheveux, sa cigarette entre ses lèvres. Sur une autre page, je dessine un *skateboard*, un soulier troué, j'essaie même de faire son portrait et j'entoure son œil droit d'un gros cerne foncé. Mais c'est loin de lui ressembler et ça me décourage, alors je ferme mon journal et j'ouvre mon ordinateur. Mon père m'a écrit.

Allô Billie !

Peux-tu dire à ta sœur de me téléphoner ? Je n'ai pas de nouvelles et ça m'inquiète un peu. La dernière fois que je lui ai parlé, elle avait une petite voix triste, mais elle n'a jamais voulu me dire pourquoi.

Comment a été ton examen ? J'ai pensé à toi tout l'avant-midi, comme promis.

J'ai hâte que tu viennes me voir. La maison est un peu différente, j'espère que tu vas aimer ça.

Je t'aime,

Papa

J'espère qu'il n'a pas trop changé la déco de la maison, elle était tellement belle.

Je m'ennuie de mon père. Ça fait trop longtemps. Au moins, on s'écrit encore souvent.

Je perds mon temps sur Facebook un moment. Soudain, un petit, petit carré rouge apparaît dans le coin de mon écran. Je m'excite, clique dessus et lis le prénom de l'expéditeur. Il est tout court, avec un « k » au lieu d'un « c » à la fin.

J'observe sa photo. Il est spécial, surtout ses yeux. Ils sont verts, légèrement en amande. Avec de longs cils. C'est rare des yeux comme ça. Ça lui donne des airs d'extraterrestre. Mais c'est beau. C'est hypnotisant, c'est dérangeant, mais c'est le fun en même temps.

J'accepte sa demande d'amitié et j'observe sa photo. Je me sens belle tout d'un coup, c'est un peu con. Alors je lui écris. Je choisis mes mots, je reste prudente, je ne veux pas sonner fatigante.

Allô Erik,

C'est cool de t'avoir dans mes amis Web. On se croisera sûrement bientôt. Tu me dois un café.

Billie

Je relis mon message au moins quinze fois, puis j'appuie sur « Envoyer ». Je suis tout énervée. J'aime me sentir comme ça, c'est rafraîchissant. J'attends une dizaine de minutes, puis je mets de la musique, je danse sur *Linger,* ma chanson préférée de The Cranberries. Ma mère l'écoutait quand j'étais plus jeune. Ça me rappelle les soirées pizza en famille. On mangeait par terre au bord du feu et on veillait plus tard que prévu, c'était le plus beau moment de ma semaine.

Essoufflée, je me rassois devant mon ordinateur, mais je n'ai pas de message. Je passe l'après-midi à tuer le temps pour éviter de scruter mon écran. J'essaie de vieux vêtements, je range ma chambre un peu (je cache tout ce qui traîne sous mon lit), j'écris encore dans mon journal intime, je raconte ma rencontre avec Erik. Ça me sera utile plus tard quand je serai en manque de magie dans ma vie.

Le soleil se couche et ma chambre est toute orange ; c'est beau, on dirait l'été qui s'annonce avant d'aller dormir. Ma mère m'appelle, le souper est prêt, alors je regarde une dernière fois mon écran. Il est là, l'autre petit carré rouge qui m'indique que j'ai une réponse. Il brille, mon cœur pétille pour vrai. J'ouvre le message.

Yo ! Quess tu fais à soir ?

Les gars de ma vie, à date, ne sont pas super bons pour rédiger des messages, mais c'est mieux que rien. Ça a le mérite d'être clair. J'imaginais quelque chose de plus élaboré ou de plus imagé, avec un bonhomme qui fait un clin d'œil ou des becs à la fin, peut-être. En même temps, c'est mystérieux et nonchalant. Ça m'engourdit le dedans, ça m'énerve dans le bon sens. S'il m'avait écrit un poème, je l'aurais trouvé bien trop intense de toute façon.

Avec Facebook, tout est plus compliqué. Je me pose mille questions de plus que si on s'était parlé face à face. Mais c'est notre vie, maintenant: la rédaction de courriels ambigus, la ponctuation calculée qui veut tout et rien dire en même temps, les émoticônes trop contentes ou trop fâchées, l'attente interminable d'une réponse trop courte, décevante, difficile à décoder. C'est peut-être à cause de tout ça que c'est plus dur de tomber en amour.

Après quelques courts échanges, on se donne rendez-vous dans deux heures au métro près du Stade olympique. C'est loin de chez moi, mais ça va me dégourdir et je vais apprivoiser l'est de la ville.

J'engloutis mon souper en cinq minutes et je saute dans la douche. Je me lave avec mon savon à la noix de coco, celui qui me fait sentir bon longtemps, puis je m'applique à choisir ce que je vais porter. C'est toujours un processus long et complexe. Je veux être belle, aussi belle qu'en pleine canicule quand ma peau est rosée. J'enfile des *skinny* jeans bleu foncé, un t-shirt blanc, ma veste de cuir noir et mes ballerines rouges. J'applique du lipsyl cire-d'abeille-pétales-de-rose, c'est nouveau, ça fait adulte comme saveur. Jardin d'été un peu, nouvelle femme beaucoup.

Prendre le métro, ça m'intimide encore même après plusieurs mois dans la grande ville. Je me perds souvent, je fonce dans les gens qui marchent trop lentement, j'oublie qu'il faut laisser sortir la foule avant d'entrer, je vais dans la mauvaise direction une fois sur deux.

En chemin, j'écoute Marie-Jo me chanter des mélodies toutes douces, j'écoute aussi *Ave Mucho* de Misteur Valaire et Bran Van 3000 parce que ça me donne des envies de nuits blanches, d'aventures et de mauvais coups.

Je monte les escaliers roulants jusqu'à notre point de rencontre, j'applique une nouvelle couche de lipsyl sur mes lèvres déjà bien hydratées et je regarde mon reflet dans l'écran de mon téléphone, juste pour être certaine que tout est à sa place. Je lève les yeux et il est déjà là à m'attendre, assis sur la rampe tout en haut, sa planche à roulettes sur ses genoux. Malgré son œil au beurre noir et son bras dans le plâtre, il a l'air plus tendre que n'importe qui. Il me sourit et m'envoie la main ; je fais la même chose, puis je passe mes doigts dans mes cheveux pour faire comme dans les films, les livres et les vidéoclips qui parlent d'une fille super belle, mais inaccessible. Je regagne un peu de confiance en moi.

J'arrive à sa hauteur et on ne sait pas trop comment s'aborder. J'hésite entre lui faire un *high five* dans sa main valide ou lui donner des becs sur les joues comme entre adultes.

On finit par se regarder trois secondes en riant tout bas. On s'improvise une conversation de base, on est gênés, mais contents, ça paraît dans sa face à lui aussi. Erik rougit un peu, juste assez, comme moi c'est sûr. Il se dirige vers les portes tournantes et me fait signe de le suivre. Dès qu'on met le pied dehors, il saute sur sa planche à roulettes et prend de l'avance. Je me mets à courir pour le suivre, l'air frais est bon. Je le regarde rouler sur l'asphalte, son t-shirt trop grand vole au vent, ses cheveux aussi. Il se retourne vers moi, il a allumé une cigarette, elle brille dans le noir pas trop foncé du début de soirée. Il s'arrête à la lumière rouge et je réussis à le rejoindre, hors d'haleine. Je lui demande où on va comme ça.

— J'sais pas, on s'promène. Ça te va?

— Heu, ouais. Mais j'pas assez en forme pour te suivre de même, j'pense.

Il me montre la rue devant nous, une ligne droite toute plate, presque déserte, éclairée par des lampadaires.

— J'vais te donner un cours.

Je réponds «OK», même si j'ai un peu peur. Il lance sa cigarette par terre, l'écrase avec son pied, puis il me tend la main pour m'aider à monter sur sa planche. Je m'exécute et déjà je suis instable, mais il me tient fort, sa main autour de la mienne et l'autre, la blessée, pressée contre ma hanche. Il me pousse doucement, je lâche un cri, il rit, je ris aussi, c'est con, il ne peut rien m'arriver. Je roule longtemps bien accrochée à lui, puis il me laisse aller. Je crie plus fort, mais ça se transforme vite en un rire incontrôlable. J'avance sûrement à la même vitesse qu'un piéton pas pressé, mais mon cœur fait mille bonds à la seconde et j'ai l'impression de voler.

Erik me dit de plier les genoux et de me mettre en petit bonhomme pour prendre de la vitesse, alors j'obéis et j'accélère. Je me détends, j'ai envie de fermer les yeux pour en profiter, mais je suis trop instable pour prendre le risque. Arrivée à l'intersection, je ne sais pas comment m'arrêter, alors je me laisse tomber, puis je m'étends de tout mon long sur l'asphalte, je fais l'étoile, je reprends mon souffle. Il me rejoint en courant et se couche à côté de moi, on reste là un moment à s'écouter respirer, puis il dit :

— Faudrait peut-être qu'on s'enlève de là, sinon on va mourir écrasés pis ça serait plate en maudit.

On se lève rapidement, je secoue mes jeans pour enlever les petites roches sur mes fesses et mes genoux. Il sort un paquet de gomme et s'en enfile deux de suite. Je tends la main, j'en veux une aussi. Au cas où ma bouche se rapprocherait de la sienne plus tard dans la soirée.

Il fait noir et la nuit est fraîche. On marche le long du Stade, c'est beau et laid en même temps. Il me pose toutes sortes de questions, c'est moi qui parle le plus : d'Annette, de mon père, un peu de ma mère, du parc aquatique, de ma maison qui me manque, de Rosine et de Juliette, de mes poèmes, de la musique que j'aime et du chien de mes rêves (un saint-bernard). J'évite de parler des yeux de Pierre, ça serait juste bizarre et il est trop tôt pour s'embarquer dans des sujets sérieux.

On s'arrête dans un dépanneur, il achète six cannettes de bière, des jujubes (des pieds à la cerise et des petits melons d'eau) et un crayon-feutre noir pour une raison que j'ignore. On s'installe dans les escaliers devant, nos genoux se touchent, on fait exprès tous les deux. On se connaît à peine, mais je me sens bien et je n'ai pas envie de m'en aller. Il me tend le sac de friandises et me demande si je suis fatiguée. Je réponds « non » tout de suite, pour sonner le plus sincère possible.

— Veux-tu voir la plus belle vue de tout Montréal ?

— Absolument.

— C'est pas pour les *chickens*, par exemple...

— J'ai quasiment peur de rien !

Je le regarde droit dans ses yeux verts, on s'observe longtemps, je cligne en premier. Je remarque qu'il a un grain de beauté au coin de l'œil droit, tout petit, puis un autre sur le bout du nez.

Erik me conduit quelques coins de rue plus loin, on tourne dans une ruelle qui fait peur et il débarre une porte en grillage qui donne sur un escalier en colimaçon. On monte jusqu'au balcon du troisième étage de l'immeuble, puis il me fait la courte échelle pour atteindre le toit. Il me suit en escaladant le mur de briques avec un seul bras ; il doit faire ce chemin-là tous les jours pour être aussi à l'aise. Je me retourne et m'aperçois qu'on doit monter un autre mur pour rejoindre le plus haut palier. J'essaie de faire ma téméraire et de me débrouiller toute seule, mais il rit et s'approche de moi pour m'aider. Il est tout proche, il sent bon le déodorant de gars et le linge propre, la gomme à la menthe et un tout petit peu la cigarette. Étonnamment, ça donne un mélange parfait.

Au sommet de l'immeuble, je tourne les yeux vers les lumières de la ville, on dirait des étoiles et un océan agité qui bordent la nuit. On entend des sirènes, mais elles sont assez loin pour sonner comme de la musique ; on entend aussi des chats miauler, des chiens japper, mais on dirait qu'ils jasent tranquillement. On est au-dessus de tout ça. On s'installe près du bord, lui les pieds dans le vide, moi un peu plus loin parce que je suis *chicken* pour ces affaires-là, finalement. Il ne m'en veut pas.

— Au début, j'avais peur de tomber moi *too*. Mais ça fait quatre ans que je viens ici. Maintenant, je me sens plus *safe* que n'importe où ailleurs. Prends ton temps.

Il détache deux bières de leur plastique et m'en tend une. Ça adonne bien, j'ai soif. On a beaucoup marché et j'ai la bouche sèche parce que je suis gênée et fébrile. Mon corps travaille fort.

On sirote nos cannettes et Erik se dégêne ; il me dit qu'il a vingt-et-un ans, qu'il vient de l'est de la ville, que sa mère est belle, que c'est la plus fine de toutes, que son père habite à Vancouver, qu'il a deux sœurs, un frère, une demi-sœur et deux demi-frères, qu'il aime le *skate*, les bonbons, la bière, l'été, les *Simpsons*, les bandes dessinées, la gomme au savon, les jeux de société (surtout *Clue*), la crème glacée trois couleurs, les chiens (surtout ceux à trois pattes et les dalmatiens à cause du film) et les couleuvres. Les couleuvres, c'est sa passion. Il dit ça en riant, alors je ne sais pas s'il est sérieux, mais je le trouve *cute*, c'est fou. Il parle beaucoup, ça me donne un petit *break*. Je l'écoute attentivement, j'en profite.

Plus on jase, plus je m'approche de lui. Je finis même par mettre un pied dans le vide en m'assurant de garder mes fesses le plus loin possible du bord. Pour me rassurer, il entoure mes épaules avec son bras cassé. On reste comme ça un bon moment, des fois on dit quelque chose et on rit entre deux gorgées. Il me montre du doigt ses endroits préférés de la ville, me dit qu'il aimerait m'amener là ou là, à un moment donné. Alors je lui parle de mon ancienne ville, de la brasserie, des burgers et des frites belges, de la bière aux framboises, de la montagne, de tout ce qui me fait penser à ma vie d'avant. Je nous imagine nous promener dans le village près du parc aquatique, rouler les fenêtres baissées sur ma route de campagne. Il sourit en m'écoutant parler, j'aime ça, je me sens vraiment, vraiment belle.

Mon téléphone vibre, c'est ma mère qui s'inquiète, ça m'énerve, ça pète ma bulle. Je lui réponds que je vais rentrer très tard. Au pire, elle me chicanera demain. J'essaie de faire vite pour éviter de briser l'atmosphère parfaite. Erik en profite pour fouiller dans ses poches. Il en sort son crayon-feutre neuf et me le tend, tout fier.

— T'écris ce que tu veux. Ou tu dessines ce que tu veux.

Il enlève son bras d'autour de mes épaules et le dépose sur mes cuisses. Il ne reste plus beaucoup de place sur son plâtre, mais je trouve un carré blanc près de son pouce. J'essaie de dessiner un saint-bernard à trois pattes, mais on dirait un schnauzer difforme. Je signe « Billie » en dessous avec des cœurs à la place des « i ».

Ça fait à peine quelques heures qu'on se connaît et j'ai déjà laissé ma marque sur lui. J'espère qu'après avoir enlevé son plâtre, il va le garder quelque part dans sa chambre, sur une étagère bien en vue ou au-dessus de son foyer, s'il en a un.

C'est différent d'avec Pierre. C'est mieux. Je n'ai pas peur qu'il dise quelque chose d'inapproprié, de gênant. Je n'ai pas peur qu'il se sauve de moi pour rien, qu'il me fasse mal juste pour le fun. Je me laisse porter par la nuit fraîche, nos conversations et nos maladresses. Je suis à la bonne place à un très bon moment, ça se sent ces choses-là. Il était temps.

On sirote nos bières et on se raconte nos vies pendant tellement longtemps que le soleil commence à se lever. Je n'ai jamais vu la ville aussi calme. Les sirènes se sont tues, les chats et chiens aussi, tout le monde dort sauf nous deux, on dirait.

On revient sur nos pas avec un peu plus d'aisance, je saute d'un palier à l'autre. Erik me raccompagne jusqu'à l'arrêt d'autobus puisque le métro n'est pas encore ouvert. Il fume une cigarette, on est plus silencieux. On ne s'est pas tout dit, mais c'est assez pour cette fois-ci. Je repasse les petits moments dans ma tête, le regarde fumer, trouve ça beau et me trouve nouille de penser ça, mais c'est plus fort que moi. Je vais légèrement modifier ma liste de critères du gars idéal, j'ai le droit.

J'ai hâte qu'on s'embrasse. Il faudrait se dépêcher, j'aperçois l'autobus au loin. On dirait qu'il lit dans mes pensées. Peut-être que mes yeux parlent un peu trop, peut-être qu'il voit l'envie sur mes lèvres.

Il écrase sa cigarette, sort son paquet de gomme et en lance une dans sa bouche. Il mâche, mâche, enrobe sa langue de menthe. L'autobus s'arrête devant nous, mon cœur bat vite, mes mains sont moites, les portes s'ouvrent. Le chauffeur me souhaite bon matin, mais je m'en fous. Erik prend ma main et m'attire vers lui, mon nez touche son menton (il est grand), je sens son souffle frais sur ma peau. Je me mets sur la pointe des pieds et c'est moi qui colle ma bouche sur la sienne, on s'embrasse vite, mais quand même. Ses lèvres goûtent bon. Le chauffeur s'impatiente, on rit à travers notre bec, je repose mes talons par terre et je monte.

Je lui offre mon plus beau sourire (celui avec les dents) à travers la fenêtre. Il me fait signe de l'ouvrir et me dit :

— J'ai hâte à la prochaine fois. Bye, Billie !

Je lui réponds que moi aussi, mais notre échange est interrompu par l'autobus qui se met en marche. Alors il embarque sur son *skate* et disparaît à toute vitesse.

Je répète ses derniers mots dans ma tête. Il a hâte à la prochaine fois ! Ça me fait tout drôle, c'est rare de l'entendre. D'habitude on spécule, on angoisse.

Mais là, c'est sorti de sa bouche. Il n'y a aucune ambiguïté, c'est clair. Il a hâte.

La route est longue. J'arrive enfin à la maison. J'entre dans l'appartement, ma mère et Annette sont encore couchées. Je marche sur la pointe des pieds jusqu'à ma chambre. Je prends soin d'envoyer mon numéro de téléphone à Erik, comme pour lui montrer que moi aussi j'ai hâte, hâte, hâte. J'enfile ma jaquette d'été et je me glisse dans mon grand lit doux. Je m'enroule dans mes couvertures et raconte en détail ma plus belle nuit blanche dans mon journal intime. J'essaie de dessiner Erik encore une fois, c'est laid, j'abandonne.

Pas grave. J'ai sa photo dans ma tête.

Chapitre 6

La première fois pour de vrai

Il est presque quatorze heures et je suis encore dans mon lit, emmêlée dans mes draps. Ma mère est venue vérifier si j'étais bien rentrée, mais elle m'a laissé rêver. J'ai dormi d'un sommeil léger parce que la lumière du jour m'a dérangée tout le long. Mes rideaux en dentelle ne servent pas à grand-chose, mais ils sont beaux, ça compense.

J'étire le bras pour attraper mon téléphone sur ma table de chevet. J'ai plein de messages de Rosine et de Juliette. Elles sont hystériques (leurs messages sont rédigés en lettres majuscules). Elles ont officiellement terminé leur session, elles veulent aller manger de l'OKA, des raisins et une baguette dans le parc La Fontaine, regarder les garçons jogger, s'inspirer de l'audace vestimentaire des filles pour nos petits looks d'été.

Je trouve que c'est un plan parfait, alors je me lève du lit, m'habille, sors en douce pour éviter ma mère, me prends un café en bas (avec un cœur dans la mousse comme d'habitude) et marche une bonne heure jusqu'au grand parc. J'aperçois mes amies au loin, elles rient fort et portent de grands chapeaux de plage comme on n'en voit plus ; celui de Juliette est jaune, celui de Rosine est rose. Elles détonnent, elles sont belles dans la foule. Je me mets à courir pour les rejoindre et m'étends sur leur immense couverture. Juliette me sert un verre d'eau pétillante au pamplemousse et Rosine nous met à jour sur sa relation avec John, le plus vieux des deux frères.

— Je l'aime, mais genre… Il me gosse un peu !

Elle n'est jamais contente, jamais satisfaite de l'attention qu'un garçon lui donne, c'est toujours trop ou pas assez.

— Est-ce que tu l'aimes, oui ou non ?

Elle réfléchit quelques secondes en mâchant un morceau de pain.

— Je l'aime, mais pas comme une folle… C'est ça qui est plate.

Elle a le cœur aussi tordu que le mien. Rosine a fait la grève de l'amour pendant longtemps pour éviter d'être déçue ou de se faire briser en mille morceaux. Et là elle est aux prises avec un garçon qui l'énerve. C'est moins pire, mais tout de même, elle mérite d'avoir plein de papillons dans le ventre. Juliette a l'air agacée, elle intervient :

— Rosine ! T'es juste trop difficile ! La situation est parfaite : y sont beaux, y sont fins, pis leurs parents ont un chalet au bord de l'eau. Notre été va être fou, gâche pas ça pour des caprices !

Ça me fait un peu paniquer, cette histoire de chalet. Je vais me retrouver toute seule pour de vrai si c'est comme ça que leurs vacances s'enlignent.

— *Come on*, les filles, laissez-moi pas toute seule en ville !

Juliette est sur la défensive. Elle veut éviter qu'on dérange son petit bonheur. C'est correct, je comprends.

— Trouve-toi un chum, Billie ! On ferait des triples *dates* pis des tours de bateaux.

Rosine lève les yeux vers moi, elle veut clairement changer de sujet.

— Pis toi, tu penses encore à Pierre ?

— Pierre qui ?

— Billie !

— Quoi, là !

Je lui lance un morceau de pain sur le front. Elle se met à rire et oublie sa question, c'est mieux comme ça. À la place, je leur raconte ma soirée de la veille : la promenade, la planche à roulettes, les cigarettes, les bonbons, le toit, le plâtre, le bec, l'autobus. Elles m'écoutent attentivement, me posent plein de questions. Je leur dis qu'Erik est grand, beau, doux de la face et fort du corps.

— Ah, pis il a un œil au beurre noir...

Juliette grimace, je la rassure :

— Promis, c'est pas un p'tit *bum*. Il m'a dit qu'il est juste tombé en *skate*, pis j'le crois.

Rosine me donne raison :

— Faut pas chercher des bibittes où y en a pas. J'ai hâte de le rencontrer !

On observe les gens autour. La plupart des filles portent des shorts très courts, des bas jusqu'aux cuisses et des souliers en cuir, ou des jeans troués et des t-shirts de *bands* rock qu'elles n'aiment même pas vraiment. Leurs poignets sont décorés de plusieurs rangées de bracelets et leurs lunettes soleil prennent toutes sortes de formes. Elles boivent du vin en cachette, au cas où les policiers viendraient faire leur tour pour distribuer des amendes, elles jouent avec leur téléphone et parlent peut-être des gens moins beaux autour.

Les gars, eux, se lancent la balle, font des chandelles dans le gazon, jouent avec des chiens énervés et s'en foutent de ce qu'ils peuvent bien porter.

C'est mieux que le parc aquatique et la brasserie, finalement. Les gens sont rafraîchissants, différents. Je me sens vieillir et c'est correct. Je me vois mal revenir à la campagne et surveiller des tannants qui courent autour d'une piscine à vagues. Je suis rendue ailleurs, je vais bien trouver quelque chose d'autre cet été pour me remplir les poches.

On se bourre de pain, de fromage trop cher, de raisins verts et d'eau gazeuse. On s'invente des vies. Moi, je m'imagine aller vivre à Paris pour écrire un livre et manger des éclairs au chocolat tous les matins ; Juliette se voit en Islande, seule au monde avec son berger allemand et son p'tit gars qu'elle aurait conçu avec une *rockstar* ; Rosine, elle, rêve de faire le tour du monde en voilier, même si elle a mal au cœur en pédalo. On a du chemin à faire pour y arriver, mais au moins on sait ce qu'on veut.

Ma sonnerie de téléphone (la chanson thème d'*Harry Potter*) nous fait sursauter toutes les trois. Un numéro inconnu s'affiche, je deviens nerveuse, j'ai chaud, c'est peut-être Erik. J'aimerais ça.

Je réponds avec ma voix la plus douce au cas où :

— Oui, allô ?

— Yo, c'est Erik !

Je fais signe à Rosine et Juliette que c'est bien lui, elles se réjouissent pour moi en criant et en tapant des mains bruyamment. Je me retiens de faire la même chose. Notre conversation est courte ; il m'invite chez lui, j'accepte, il me répète son adresse, il me dit à tantôt et raccroche. C'est pas compliqué.

J'ai quelques heures pour y penser, pour me préparer, pour me faire des attentes aussi, alors Rosine propose qu'on aille chez elle.

Ça me va, elle a de plus beaux vêtements que moi.

Juliette doit nous quitter pour rejoindre son frère qui est en visite en ville, alors Rosine et moi on marche jusqu'à son appartement, quelques blocs plus loin. Sur le chemin, Rosine oublie pour un instant qu'elle a un chum plate ; on se fait des idées, on s'excite comme des enfants dans une piscine de balles, les gars nous font capoter. C'est l'âge, probablement.

Rosine vit avec sa cousine Catherine qui n'est presque jamais là parce que son copain habite dans un immense loft dans le Vieux-Montréal. Sa chambre est décorée de façon très minimaliste : une plante verte, un cactus, des cadres blancs, un lit blanc, un couvre-lit blanc, un bureau blanc et un tapis rouge. C'est beau et propre et neuf ; tout semble coûter cher. Je saute dans sa douche, mais je fais vite parce que je déteste les douches étrangères.

En attendant, Rosine étale des vêtements sur son lit : une robe fleurie, des jeans roses, une jupe en cuir noir, un chemisier en dentelle, des souliers à talons hauts, des Converse, des ballerines lilas. Elle a de tout. Une fois propre et bien séchée, je choisis des leggings noirs, une grande chemise Ralph Lauren bleu ciel et une longue chaîne avec un pendentif doré. Je garde mes bottillons parce que je porte deux pointures de plus qu'elle. Je me regarde dans le miroir et j'ébouriffe mes cheveux. C'est mieux. On dirait que depuis hier, j'ai un peu plus confiance en moi. Avec Erik, je me suis sentie bien et forte, et presque scintillante dans ses yeux.

Rosine se met à fouiller dans le tiroir de sa table de chevet pendant que j'applique une couche de rouge sur mes lèvres. Elle prend ma main.

— Là, prends ça. Au cas où. Pas de pression. Juste… une précaution.

Elle y dépose deux condoms. Ça me gêne, c'est con, ça ne devrait pas, mais je suis mal à l'aise de parler de ces choses-là, même avec ma plus vieille amie. Et ça m'effraie, car tout peut arriver, c'est vrai. Si j'en ai envie. Et s'il en a envie. C'est angoissant.

Je les range dans mon sac et la serre dans mes bras.

— Amuse-toi bien, ma Billie. Mais fais attention quand même. Ton cœur vient juste de se recoller.

— Je sais. Mais là, c'est différent. Je lui cours pas après. Pour l'instant.

— Appelle-moi demain pour me raconter. Racontes-y ta *joke* de la cravate, y va tomber amoureux tout d'suite.

On se met à rire. Elle me connaît par cœur.

— Promis, j'lui raconte en arrivant.

Elle me raccompagne jusqu'à la porte et me donne un bec sur le front. Elle me répète que je suis belle, fine, capable, intelligente, drôle, que je sens bon et tout.

Je marche d'un bon pas parce que j'ai hâte d'arriver. J'ai le cœur qui bat plus vite que jamais. Le trajet jusque dans l'est de la ville me paraît interminable. Je prends le métro, un bus, je marche une quinzaine de minutes et j'arrive enfin devant chez lui.

La sonnette est brisée, alors je frappe trois coups et j'attends, j'attends, j'attends. Je frappe trois autres coups et j'attends, j'attends, j'attends. Je me mets à paniquer, à avoir trop chaud. Tout d'un coup, j'ai peur qu'il regrette de m'avoir embrassée, de m'avoir invitée aujourd'hui. Je m'assois sur le bord du trottoir devant son immeuble, je lui laisse dix minutes. Ça arrive d'être en retard de dix minutes. J'imagine des formes dans les craques du ciment, je fais ça souvent pour me détendre. Je vois une silhouette de femme toute nue et un dauphin. Ou peut-être que c'est un cornet de crème glacée et une voiture de course. Tout dépend sûrement de comment je me sens.

Puis j'entends un *skateboard* rouler sur l'asphalte, et j'entends sa voix crier mon nom. Comme ça: « Biiiiiiiiiilliiiiiiiiiiiie ! »

C'est le fun dans mes oreilles. Je respire mieux. Il a l'air content, ça se voit.

Il s'approche dangereusement, puis saute de sa planche juste à temps. Il est tout près de moi, le souffle court, il sent la même chose qu'hier. Ça me rappelle la nuit blanche, les étoiles, la ville toute calme, le bec gêné. Déjà de beaux souvenirs. Il me montre les deux sacs qui pendent au bout de son bras valide.

— La file était *full* longue à l'épicerie. Me pardonnes-tu ?

— Ben oui, là ! J'ai même pas attendu trois secondes...

Il passe devant moi, débarre la porte, me fait signe d'entrer et on monte jusqu'au dernier étage. En entrant dans son appartement, je découvre une vaste pièce avec plein de fenêtres, une cuisine au fond, un grand lit IKEA avec un couvre-lit carotté, un vieux divan comme chez ma grand-mère, beaucoup de cannettes et de boîtes de pizza vides, et des photos partout sur les murs : des *skateboarders*, des belles filles les cheveux au vent, des couchers de soleil, des plages parfaites.

C'est un appartement de p'tit *bum* au cœur tendre, finalement.

Je m'installe au comptoir de la cuisine, il me sert un verre d'eau avec des glaçons en forme d'ananas.

— J'espère que t'as faim, j'te fais une recette de ma mère.

— Heu... oui, oui! J'suis affamée.

Je n'ai vraiment pas faim. Trop nerveuse. J'en ai presque mal au cœur. Mais je vais manger jusqu'au dernier morceau de brocoli. Pour lui faire plaisir.

On jase pendant qu'il cuisine. Il fait griller des noix de pin, ça sent les toasts dans l'appartement. Il débouche une bouteille de vin rouge, je me sens madame et j'aime ça. Je sirote un verre comme si c'était la chose la plus naturelle du monde. Je trouve ça dégueulasse, mais je fais des « mmm » pareil.

Tandis que la préparation avance, j'en apprends encore plus sur lui: il a abandonné ses études en cuisine l'an passé, il travaille dans un resto français du centre-ville, il parle à sa mère toutes les semaines, il est allergique aux poires, son repas préféré c'est la lasagne de sa tante Lucie, son meilleur ami s'appelle Jean-Michel et la plus belle femme de la terre, selon lui, c'est Penélope Cruz.

Je me mets à nous comparer, Penélope et moi. C'est déprimant, alors je change de sujet sans réfléchir.

— As-tu déjà eu le cœur brisé, toi?

Il lève les yeux, légèrement surpris de mon grand sérieux, puis me répond:

— Oui, deux fois. Toi?

— Juste une fois.

— J'te souhaite que ce soit la seule.

— Pis moi, j'suis désolée pour ta deuxième fois.

Il me sourit, ça m'aide à prendre notre conversation à la légère. Il poursuit :

— C'est tout le temps mes blondes qui me laissent… Je sais pas pourquoi.

— Moi, j'ai jamais eu de chum, j'peux pas savoir…

— T'as jamais eu de chum, mais tu t'es fait briser le cœur ?

— Ouais… C'est peut-être pire.

— Tu me raconteras ça à un moment donné. Si tu veux, là.

— Oui, à un moment donné, c'est sûr…

Il égoutte les pâtes, ajoute les légumes grillés. Je lui pose une question plus relaxe :

— Es-tu végétarien ?

— Un peu…

— Ça veut dire quoi être un peu végétarien ?

— Ben, je mange pas de viande, mais quand on m'invite à souper, j'en mange pour être poli.

— C'est un beau compromis.

— Ouais, sinon c'est juste pas fin pour la personne qui s'est *full* forcée pour bien cuire ton steak.

Il fait signe de m'installer à la table derrière moi et me sert une assiette fumante, ça sent bon. On mange l'un en face de l'autre comme des amoureux, mais sans chandelles entre nous deux. Je mâche en cachant ma bouche avec ma main. C'est un réflexe, je suis gênée de manger devant lui. J'ai peur d'avoir de la sauce tout le tour de la bouche ou un morceau d'épinard pris entre mes deux palettes. Il engloutit sa dernière bouchée et pose ses ustensiles.

— T'es belle, Billie. J'aime ça tes taches de rousseur.

J'avale ma trop grosse bouchée et je me sens rougir. Je pose mes ustensiles à mon tour, me lève et contourne la table pour le rejoindre. Je me penche vers lui et l'embrasse pour vrai ; ça goûte un peu le souper sur nos langues, mais c'est le moindre de mes soucis. Nos baisers s'intensifient, je m'assois sur ses cuisses, il m'entoure avec ses bras du mieux qu'il peut.

On frenche pendant longtemps, on ne se tanne vraiment, vraiment pas. J'ai bien fait d'avoir pris les devants, ça me donne confiance, je suis fière de moi. Nos bouches sont confortables comme ça. Il m'embrasse dans le cou, ça chatouille, mais pas trop. J'enfouis mon nez dans ses cheveux, puis mes doigts, j'embrasse son front, ses joues, sa bouche encore, son œil au beurre noir, même. Je fais le tour de sa face, il fait le tour de la mienne.

Il détache les trois premiers boutons de ma chemise et la fait glisser le long de mes épaules, puis descend les bretelles de mon soutien-gorge. Il donne des becs sur les taches de rousseur le long de mes clavicules, puis on se rend jusqu'à son lit en gardant nos bouches collées. On s'allonge, il enlève son t-shirt, c'est laborieux, son plâtre passe difficilement par le trou de sa manche. Ça nous ralentit.

J'observe finalement son corps, son torse, sa peau, son ventre, ses pectoraux. Ça me fait peur et me fascine. C'est bizarre, mais je crois que c'est la bonne chose à ressentir pour l'instant. C'est un étranger, quand j'y pense.

Par moments, je regarde ses bras, ses hanches, son cou, et je vois Pierre. Mes souvenirs se mélangent, mon cœur rate un battement. La dernière fois qu'on m'a touchée de cette façon-là, c'était dans son lit qui sentait le pneu de vélo. Alors j'essaie de me concentrer sur ce qui différencie Erik de Pierre: ses cheveux plus foncés, ses yeux en amande, la forêt dans ses iris, le grain de beauté sur le bout de son nez. Ça aide.

Il fait glisser mes leggings le long de mes jambes, je les retire complètement. Je suis en petites culottes, mais c'est correct, j'avais hâte. Sa ceinture est un lacet de soulier, je détache le nœud et on se ramasse tous les deux en sous-vêtements. Il porte des boxers avec des sundaes dessus, je ris et je me calme enfin.

Je me redresse pour aller fouiller dans ma sacoche, mais il lit dans mes pensées et ouvre le tiroir de sa table de chevet pour prendre un condom.

On recouvre notre peau de becs mouillés. Même si sa main est occupée à se protéger, il n'arrête pas de me donner de l'attention, il flatte mon visage avec ses lèvres, c'est bon. On s'essouffle, je sens son souffle chaud sur ma peau, j'embrasse ses oreilles, son menton.

On fait l'amour. C'est un peu maladroit, mais énormément tendre. C'est différent d'avec Pierre. Je me laisse aller, porter, guider. On dirait qu'il est confortable avec moi, sur moi. On se veut égal. Ça se sent, ces affaires-là.

Même si c'est la première fois que ça m'arrive pour de vrai.

Je commence à comprendre comment ça fonctionne et à deviner ce que ce sera quand j'aimerai vraiment ça. Ce n'est pas encore l'euphorie dans mon corps, dans le bas de mon ventre, entre mes jambes, mais c'est enivrant. J'ai envie de fermer les yeux et de me concentrer sur ses mains et sa bouche partout sur moi. De ne penser à rien d'autre. On se blottit en dessous de ses couvertures parce que j'ai la chair de poule et on continue de s'aimer de longues minutes, on transpire, on mouille les draps, mes cheveux se mettent à friser, l'eau perle sur son front. Il me regarde et ses yeux brillent, mais c'est peut-être le reflet des miens dans ses pupilles.

On reprend notre souffle tranquillement, mon corps est tout engourdi et le sien est brûlant. Il roule à mes côtés et embrasse mes doigts en serrant ma main dans la sienne.

C'était bon, mais je ne recommencerais pas tout de suite. C'était exigeant, je trouve. Ça allait tellement vite dans ma tête, je pensais à trop de choses en même temps, et à rien d'important vraiment: à mes cheveux pris entre ses doigts, à mon ventre gonflé de pâtes, à la ligne de trois poils que j'ai oublié de raser, à la sueur sous mon nez, à chacun de mes mots et chacun de mes gestes.

C'est épuisant la sexualité.

En fait, je ne sais pas trop s'il a aimé ça. Je l'espère. Parce que moi, oui. C'était beau à faire.

— T'es beau. Pis c'est beau chez vous. J'aime ça. J'suis bien.

— Ouin... J'aurais peut-être dû ramasser une couple de cannettes vides.

— Non, c'est parfait de même.

— Tu peux venir ici quand tu veux d'abord.

Il m'embrasse, sa bouche est chaude.

Le soleil se couche, la grande pièce baigne dans une lumière aussi orangée que l'autre soir, c'est comme magique. On reste là, silencieux, pendant un long moment, on est scotchés l'un à l'autre, notre peau est encore toute moite, mes cheveux collent sur ma nuque, les siens sur son front. Je m'endors tranquillement au son de sa respiration, au chaud sous le poids de son torse.

Mon téléphone se met à sonner et brise notre moment tendre. J'essaie de me lever du lit sans le déranger dans sa sieste légère, je m'enroule dans la couverture et je me lève pour éteindre la sonnerie. Le visage de ma mère remplit l'écran. Elle est sûrement inquiète parce que ça fait deux soirs de suite que je m'éclipse, mais j'ignore son appel. Ça serait trop bizarre de lui parler en ce moment. Juste après que.

Je retourne vers le lit, je m'assois tout au bord, j'enfile mes petites culottes en m'assurant de garder la couverture autour de mon corps. Je suis gênée d'être toute nue, tout d'un coup. Mais Erik a les yeux bien fermés. Il est beau comme ça. Ses traits sont doux, il a l'air bien, loin.

On dort sûrement mieux après avoir fait l'amour.

Je m'habille sans faire de bruit. Je sors un papier et un crayon de mon sac à dos. Je vais lui laisser un petit mot avant de partir; je ne veux pas le réveiller et j'ai envie de dormir dans mon lit, dans mon pyjama, dans mes draps. J'écris:

Faut que j'y aille. Tu dors. À bientôt. Billie X

Je laisse le papier sur l'oreiller pour faire comme dans les films d'amour.

Sur le chemin du retour, je repasse nos gestes et nos regards dans ma tête jusqu'à ce que je rejoigne la chaleur de mon grand lit de princesse.

J'ai goûté à la sexualité. Une deuxième fois. Et j'ai le cœur léger. C'est bon signe. Là, je crois que j'ai fait l'amour pour la première fois.

Je fais encore la grasse matinée. Je rêve à Erik qui m'embrasse partout, qui me fait rire, qui me cuisine mille soupers, qui éclaire mes journées avec des feux de Bengale qui ne s'éteindront jamais. C'est un sommeil effervescent. Je me repose à peine, je pense trop à lui, mais ça va.

On frappe à la porte et je me réveille pour de bon. C'est Annette. Elle ouvre et entre. Ses yeux sont rouges, enflés, elle est tout échevelée, elle a l'air de ne pas avoir dormi. Je lui fais signe de venir se blottir sous les couvertures. Mon cœur fait déjà mal, je déteste voir ma grande sœur pleurer. Elle se couche à côté de moi, enfouit son visage dans un de mes coussins, celui en forme de panda.

Je me retiens de lui demander pourquoi elle est si mal en point. Je la laisse verser des larmes, ça fait souvent plus de bien que de parler. Je frotte son dos avec la paume de ma main comme l'aurait fait mon père et fais jouer *Café Robinson* dans mon téléphone, le volume au maximum. C'est triste, mais ça embellit l'ambiance. Elle renifle un bon coup et se couche sur le dos. Son visage est tout mouillé, son mascara a coulé sur ses joues et son menton.

— Y veut pas de blonde. C'est ça qu'il a dit…

C'était tristement prévisible.

— Y veut quoi, d'abord ?

— De l'affection, de l'attention, je sais pas. Mais pas de blonde. Trop compliqué, finalement.

— Trop compliqué ?

— Ben d'après lui, être en couple à notre âge, ça gâche nos belles années de liberté.

Je me redresse, pas contente du tout.

— C'est donc ben lourd, son affaire !

— Je sais.

— T'as répondu quoi ?

— Je faisais juste pleurer, pleurer, pleurer…

J'aurais fait la même chose : pleurer, pleurer, pleurer. C'est un réflexe tellement puissant ! Dans les moments comme ceux-là, les larmes viennent et nos yeux sont trop faibles pour les retenir. Je serre ma sœur dans mes bras et lui dis :

— Je l'haïs.

Elle se remet à pleurer contre mon coussin. Il est tout taché de mascara, mais ça ne me dérange pas. Il est là pour ça.

— Moi, c'est pire… Je l'aime.

— Ben je l'haïs pareil...

— OK, t'as le droit.

Ma mère passe devant ma chambre et voit qu'Annette pleure. Elle fronce les sourcils, mais ne dit pas un mot. Je lui fais signe que je m'en occupe, que tout est beau, en continuant de frotter le dos de ma sœur. Elle ferme la porte doucement pour nous laisser tranquilles.

— Dans le fond, ça adonne bien, Annette. On va faire plein d'affaires. On va sortir tard, boire du cidre dégueulasse, se promener en vélo, faire des pique-niques, aller voir des *shows*. C'est l'été ! On va être bronzées, pis plus belles qu'en hiver !

Annette acquiesce en essuyant son nez mouillé avec sa manche. J'ai hâte que son cœur guérisse. Surtout pour partager mon bonheur avec elle. C'est égoïste un peu. Pour l'instant, je dois me retenir d'étaler mes nouveaux sentiments.

Je me mets à rêver. Je sais que je vais sans doute devoir partager mon été entre ma grande sœur, mes amies et Erik, mais ça me rend heureuse. J'ai envie de vivre tout plein de saisons aux côtés de ce gars-là, de jouer dehors souvent, peu importe le temps qu'il fait. Avec lui, je veux me baigner dans un lac, me sécher au soleil sur le bord d'un quai, manger du melon d'eau, construire un *slip n'slide* géant dans la cour chez mon père, dormir à la belle étoile, jouer à la cachette dans la montagne. J'aimerais qu'on collectionne les feuilles qui tombent des arbres en automne, qu'on cueille des pommes ensemble. J'aimerais le connaître en hiver, vivre une première neige et avoir froid avec lui, construire un fort et habiter dedans.

Je pense que c'est ça, être en amour pour de vrai. Je sens que c'est sain. Je n'ai pas de nouvelles depuis que j'ai quitté son appartement en douce, mais je ne m'inquiète pas, il doit travailler. Je lui envoie un message texte en cachette de ma sœur, juste au cas, c'est plus fort que moi. Je lui écris simplement :

Allô. Bien dormi ? X

Attendre sa réponse sera interminable.

Annette et moi, on se promet de tout faire pour éviter que notre quotidien soit ennuyant. On préfère pleurer à cause d'un cœur écorché plutôt que de ne rien ressentir du tout. C'est aussi le prix à payer pour avoir des choses à raconter. Les mois qui s'en viennent seront intenses, mais on a l'âge pour vivre tout ça.

Chapitre 7

Comme Courtney

Il fait beau. Je ne porte même pas de collants sous ma robe fleurie. J'ai la chair de poule, mais je m'en fous. Je traîne une pile de curriculum vitae. J'ai sillonné les rues de la ville tout l'avant-midi, je cherche un travail d'été. J'ai envie de refaire ma garde-robe et de redécorer ma chambre ; ça me prend des sous et vite. Mais tout me semble plate et compliqué : servir des déjeuners, vendre du linge, faire des cafés, emballer à l'épicerie.

Je croyais ne jamais être nostalgique du temps où je passais mes mois d'été à crémer des nez, siffler dans un sifflet et cuire au soleil. Je me plaignais sans arrêt, mais tout était plus simple. C'était un environnement confortable. Je pouvais graver des poèmes dans ma chaise de sauveteur, observer la faune en vacances, manger des hot-dogs géants avec beaucoup de ketchup quand j'en avais envie.

Ça fait trois jours que j'essaie de consoler ma sœur. J'y mets beaucoup d'énergie. Ça fait aussi trois jours que je n'ai pas de nouvelles d'Erik. Mon dernier message texte est demeuré sans réponse et chaque fois que mon téléphone sonne, mon cœur me fait souffrir. Comme si on poignardait mon amour-propre. Et l'amour tout court, dans le fond.

Le pire, là-dedans, c'est de ne pas savoir, de ne pas comprendre, de n'avoir aucune idée de ce qu'il ressent, de ce qu'il veut, de ce qu'il pense. J'ai peut-être dit ou fait quelque chose qui lui a déplu ? C'est tellement épuisant de me poser ces questions-là toutes les minutes de ma vie depuis soixante-douze heures ! C'est devenu une obsession. J'hésite constamment entre courir chez lui et sonner jusqu'à ce qu'il réponde, ou demeurer discrète et attendre encore.

C'est difficile d'être patiente et de savoir quoi faire quand on a des points de suture sur le cœur qui menacent de se découdre.

Je prends une pause et mange un *popsicle* aux raisins dans le parc La Fontaine. Le gazon me pique les fesses, j'ai oublié la couverture qui adoucit mes moments en plein air. J'ouvre mon livre, c'est *Chocolates for Breakfast* de Pamela Moore. Je l'ai commencé hier et je ne peux plus m'arrêter. Je lis partout : dans mon lit, en mangeant, en me levant, en pleine nuit, même. J'ai de la difficulté à me rendormir quand je me réveille pour vérifier si Erik m'a répondu, alors je lis quelques pages, ça me calme.

Je lève les yeux de mon livre un instant et vois un garçon qui marche dans ma direction. Il me fait un signe de la main. Il porte des lunettes à grosses montures noires, une casquette par en arrière et des jeans troués. Il est beau de loin, mais moins qu'Erik. Depuis qu'on a fait l'amour, que je l'ai vu tout nu, tout le monde est moins beau que lui.

Le gars s'accroupit devant moi et me dit :

— Allô ! Je veux pas te déranger, t'as l'air bien absorbée...

Il veut sûrement me faire signer une pétition pour faire installer plus de supports à vélo dans le quartier.

— Hum, non, non, ça va, tu m'déranges pas...

— Tu lis quoi ?

Je lui montre la couverture de mon livre.

— Je l'ai pas lu... Ça ressemble à un livre de filles, pas mal...

— C'est quoi pour toi, un livre de filles ?

— Heu... Je sais pas... Un livre qui parle de vernis à ongles pis de tresses françaises...

Je fronce dangereusement les sourcils, je le trouve con. Mais pas con comme Pierre, une autre sorte de con.

— Si ça te dérange pas, je vais continuer ma lecture de filles.

— Ah, je voulais pas t'insulter...

Je lui offre un sourire forcé et il se relève.

— T'as pas une pétition à me faire signer ou quelque chose ?

— Hein ? Non... Je voulais juste venir te parler. Je voulais pas passer à côté d'un coup de foudre potentiel...

Il me fait un grossier clin d'œil et va rejoindre ses amis un peu plus loin. Je les entends rire fort, ils sont vraiment fatigants. Je les observe longuement, tombe dans la lune, les fixe, puis constate qu'ils me font des bye bye en souriant. Je détourne le regard. Je ne sais même pas s'il était sérieux ou s'il voulait simplement faire rigoler sa bande, ça me vexe un peu. Je me sens insécure tout d'un coup, seule dans le parc.

Mon téléphone se met à sonner. Je vois le nom d'Erik apparaître sur l'écran. J'arrête de respirer, je suis effrayée et excitée ; c'est intense sur le corps comme duo d'émotions. Je réponds avec mon plus beau « Oui, allô ? », comme toujours.

— Allô, Billie...

Sa voix est différente, plus grave. Il ne me laisse même pas lui demander comment il va et enchaîne.

— Hum... Es-tu occupée ? On peut-tu se voir ?

— Oui... Oui, on peut se voir.

— ...

— Ça va ? J'avais pas de nouvelles, je...

— Je sais, j'm'excuse. T'es où ?

Je tremble, quelque chose ne va pas. Je lui dis de me rejoindre, il répond un « j'arrive » pressé et raccroche. Alors j'attends, j'attends, j'attends. Le parc se vide tranquillement, le ciel se couvre, j'ai froid, je grelotte, je boutonne mon manteau de jeans qui ne me réchauffe pas tant que ça. Je sors mon petit miroir de poche pour appliquer du rouge sur mes lèvres sans dépasser, mais je me rends compte que j'ai la bouche toute mauve, la langue aussi. Mauve *popsicle* très foncé.

Ça me fait penser à mon amour fou pour la slush. Ça me manque tout d'un coup. J'aimais tellement me colorer la langue en bleu très bleu. Je me sens rajeunir un peu. Un poids s'enlève de mes épaules qui continuent tout de même de trembler. Je suis toujours jeune, surtout du cœur. Je suis assez forte pour encaisser quelques coups encore.

J'attends, j'attends, j'attends. Jusqu'à ce que je le voie au loin, tout petit, rouler à toute vitesse sur la rue, à contresens, les cheveux dans le vent violent. Il s'approche de plus en plus, ses joues sont rouges, il descend de sa planche et marche dans ma direction en évitant mon regard. Il s'assoit en Indien devant moi, fouille dans ses poches de jeans et sort son paquet de cigarettes.

— Salut, Billie.

Il s'en allume une et se décide enfin à me regarder dans les yeux.

— Allô, Erik...

Il souffle un nuage de fumée grise par-dessus son épaule, il arrache le gazon à grosses poignées. Il est nerveux, moi aussi, mais je ne sais pas encore pourquoi. Il me fait patienter le temps de finir sa cigarette. Plus elle rétrécit, plus j'ai mal au cœur. Quand il l'écrase enfin à ses pieds, je grelotte fort, je suis incapable de contrôler mon corps. Ma chair de poule est tellement violente que ça me fait mal à la peau.

Il soupire un bon coup.

— Billie, faut que je te dise de quoi.

Je ne réponds rien, de peur de retarder encore plus la conversation.

— J'ai une blonde... Ben, j'avais une blonde. Je l'ai laissée hier.

Il passe sa main dans ses cheveux, puis sur sa nuque. Il me regarde, il attend. Ses mots résonnent dans ma tête et tout ce que je suis capable de ressentir, c'est de la colère. Contre moi. Je me suis laissée aller dans des bras déjà pris. Je n'ai rien vu. J'aurais dû le sentir. Une fille, c'est supposé avoir un sixième sens pour ces choses-là. Je me trouve vraiment conne. Et j'ai de la peine aussi. Beaucoup. Mais on dirait qu'être fâchée, ça fait moins mal.

J'ai quand même envie de lui poser mille questions, de tout savoir. Je ne vais pas me sauver ni partir en courant.

— L'aimes-tu ? J'veux dire, l'aimes-tu encore, en ce moment ? Depuis qu'on se connaît, mettons ?

Ma voix est faible, j'ai de la difficulté à parler, j'ai peur d'éclater en sanglots. Je ne veux surtout pas pleurer.

— Je pense pas… Non, j'suis sûr, en fait. Je l'aime pus. Mais c'tait compliqué de te le dire, pis de lui dire. J'ai pas agi assez vite. Pis là, je me ramasse à te faire de la peine.

Je suis déchirée en deux. D'un côté, je suis furieuse et j'ai honte, mais de l'autre, je veux prendre le temps de comprendre. Parce qu'il a des yeux en amande, un bras dans le plâtre et un sourire magique. Et aussi parce qu'il m'a vue toute nue il y a trop peu de jours.

— J'aurais aimé ça le savoir avant qu'on fasse l'amour.

Il serre sa tête entre ses mains, je vois mon dessin sur son plâtre, ça me squeeze le cœur. Il essuie ses yeux. Ils sont mouillés, ça me fait tout drôle. C'est la première fois qu'un garçon verse des larmes pour moi.

— Je sais pas quoi te dire, Erik.

— Tu peux me traiter d'ostie d'épais. Ça serait déjà un début…

— C'est qui, la fille?... Ta blonde... Ton ex...

— Marianne.

Marianne, c'est vraiment un beau nom et ça me fâche. Il enchaîne:

— Je comprends si tu m'détestes... J'ai mal géré... Mais c'est fini, elle pis moi, promis.

— J'te déteste pas.

— Fiou...

— Je... Je vais y aller, OK?

Il baisse la tête, honteux. C'est douloureux de le voir comme ça. Je range mon livre dans mon sac et me lève. Je reçois une goutte de pluie sur le front. Elle se mélange à une larme qui s'est échappée de mon œil gauche, le plus faible des deux. Je l'éponge tout de suite et marche sans me retourner. Je traverse la piste cyclable et sors du parc. Je suis maintenant loin de lui, alors les larmes se laissent aller, elles se mettent à rouler sur mes joues. Je ne peux pas appeler Annette, elle est aussi mal en point que moi. Je n'ai pas envie de parler à Juliette ni à Rosine, j'aurais peur qu'elles le détestent trop vite. Je lève le bras, un taxi s'arrête et je monte. Je me fais conduire jusqu'à la maison. Je n'ai plus la force de marcher, j'ai trop froid et trop de peine.

Je trouve ma mère dans sa chambre. Installée à son petit bureau, elle écrit dans son journal. Elle fait comme moi. Ou c'est moi qui fais comme elle, je ne sais plus. Elle lève les yeux et me voit en larmes. Elle me fait signe de grimper sur son lit. On s'allonge l'une à côté de l'autre, elle essuie mes joues avec ses pouces de maman, elle éponge ma peine du mieux qu'elle peut. Entre mes hoquets et mes reniflements, je lui parle d'Erik, de son *skateboard,* de ses pâtes aux légumes, de son appartement et de la fille qui a vraiment un beau nom. J'évite de mentionner son lit, ses draps et ses baisers, ça serait trop en dire. Mais elle est capable de lire entre les lignes et de comprendre, ça se voit dans ses yeux et dans son sourire.

— Billie, peut-être qu'il t'a pas vue venir. Ça arrive... On n'est pas toujours prêt à tomber en amour avec quelqu'un.

— Ben moi j'étais prête !

Ma mère serre les lèvres et ses rides se creusent.

— Qu'est-ce que tu vas faire ?

— Je sais pas. Je sais pas pantoute.

— La confiance est brisée, hein ?

— Oui, comme.

Je me remets à pleurer, j'ai le visage d'Erik dans ma tête, ses épaules, ses yeux, son nez, sa bouche, ses mains, ses doigts de gars aussi. Ma mère s'approche et me serre fort.

— Ça te ferait peut-être du bien d'aller voir ton père ? Il m'a appelée, hier. Ça fait longtemps que tu lui as pas écrit aussi…

Depuis que j'ai rencontré Erik, je ressens moins le besoin d'écrire à mon père. Peut-être que ma tête et mon cœur sont trop occupés à gérer mes émotions en montagnes russes.

— Si j'retourne à la maison, faut que tu t'occupes d'Annette pour moi.

— Promis. J'vais essayer de faire une aussi bonne job que toi.

Elle m'embrasse sur le front et se lève.

— Qu'est-ce que t'as envie de manger, Billie-chou ?

— Un club sandwich géant double bacon avec des frites. Beaucoup de frites.

— Aussitôt dit, aussitôt fait.

Miam.

Je sèche mes larmes et saute dans la douche. Sans gougounes. C'est un grand jour. C'est peut-être parce que mon malheur prend trop de place pour que je sois dégoûtée par la salle de bain en plus. Ça m'aura pris cinq longs mois, mais au moins, je suis guérie. Je me lave avec mon nouveau savon qui sent l'île déserte, les cocotiers, les mangues et un peu les fleurs. Je pense à Courtney, le personnage principal du livre que je suis en train de lire, qui vit une vie de grande dame et qui s'enfile des cocktails dans des soirées de riches à Manhattan ou sur le bord de la piscine du Jardin d'Allah à Hollywood, qui embrasse plein de garçons, qui fait du lèche-vitrines, finalement. Je l'envie un peu. Elle est nonchalante souvent, confiante tout le temps. Elle s'attache à des hommes elle aussi, elle est fascinée par eux, mais elle ne laisse pas ses doutes la ralentir. Elle aime faire l'amour, elle sait comment séduire, elle est inoubliable pour certains, une fille de passage pour d'autres. C'est spécial comme vie. Mais peut-être que ça devient triste et vide à la longue, c'est possible, je n'ai pas terminé son histoire encore.

J'aimerais être fougueuse et vibrante et libre. Et arrêter de m'en faire.

À la place, je me morfonds et pleure, mon cœur arrête de battre et ma vie au complet devient misérable et grise.

Je fais mon sac. J'apporte du linge pour trois ou quatre jours, le disque de Marie-Jo et mon journal intime. Je vais attraper le prochain autobus à la Gare Centrale. J'ai trop hâte d'être à la maison, ma mère a eu une bonne idée. Avant de partir, j'appelle mon père pour lui dire que je m'en viens. Il est content, ça paraît dans sa voix, mais il m'avertit que j'aurai souvent la maison à moi toute seule, il est de garde à l'hôpital.

Pas grave.

Il me demande aussi si je veux rencontrer sa blonde. Je dis non. Il soupire. Je change de sujet et on raccroche. Je n'ai pas les nerfs assez solides pour entretenir des conversations polies avec cette femme-là. Je n'ai pas envie de mettre de l'énergie là-dedans pour l'instant.

Je dors tout au long du trajet. Quand je me réveille, ma tête est posée sur l'épaule de ma voisine de siège. Je m'excuse poliment en essuyant le coin de mes lèvres. J'étais fatiguée. Je rêvais à de la slush bleue, à un *popsicle* aux raisins, à des glissades d'eau, à un *skateboard*, à une route de campagne et au Stade olympique. Je suis mélangée, pas du tout reposée.

Je descends de l'autobus et mon père m'attend dans le stationnement, appuyé contre sa voiture toute neuve. Il me fait des grands signes de la main. Je lui saute dans les bras et son parfum me rappelle mes plus beaux étés à la maison. Il me serre fort, ébouriffe mes cheveux comme si j'étais encore une enfant et me complimente sur ma coupe courte. Je suis nostalgique tout d'un coup. On reste comme ça un bon moment, mon nez dans sa chemise Tommy Hilfiger blanche à petites rayures bleu ciel, un classique de papa un peu bourgeois.

On monte dans l'auto. Je me mets à parler de n'importe quoi, je lui pose toutes sortes de questions, lui donne des nouvelles d'Annette, de Rosine, de Juliette et de ma mère. Le soleil s'est couché, il conduit les fenêtres légèrement ouvertes jusqu'à la maison, on écoute *Here Comes the Sun* des Beatles, sa deuxième chanson préférée. La première, c'est *Suzanne* de Leonard Cohen, mais son CD est tout égratigné.

Puis je l'aperçois, la plus belle de toutes les maisons, avec ses volets noirs et sa clôture blanche, ma maison qui me manquait tant, mon nid douillet de petite fille souvent sage. Mon père stationne la voiture dans l'entrée et je me précipite sur la véranda. Je n'ai plus la clé, alors je poireaute tandis qu'il ouvre, et j'entre. Je prends une grande respiration, ça sent le vieux bois, un peu les produits ménagers, le sent-bon Brise du printemps et le parfum de mon père. Un mur au grand complet a été transformé en immense bibliothèque, les pièces sont plus pâles, les photos que ma mère avait prises et encadrées ont été remplacées par d'autres de mon père et de sa blonde. Dès qu'il a le dos tourné, j'en décroche une, la plus grosse, et je la dépose par terre, face au mur. Ça m'enrage trop.

Je monte les escaliers jusqu'à ma chambre et saute sur mon lit. La pièce est intacte au moins, il ne manque que ma collection de coussins doux que j'ai traînée avec moi à Montréal. Mon père m'a suivie, il se tient contre le cadre de porte, les mains dans les poches, son sourire de papa sur son visage qui se fait vieux, mais qui est toujours lumineux.

— Travailles-tu demain, papa ?

— Malheureusement, oui ! As-tu des plans ?

— Je vais aller me promener. As-tu installé le trampoline, cette année ?

— Oui !

— Fiou !

— Mais c'est la dernière fois.

— Pourquoi ?

— J'suis vieux, c'est long à monter, pis t'es plus vraiment à la maison. C'est pas moi certain qui vais sauter là-dessus à longueur d'été !

— T'as raison. Je vais en profiter.

Ça fait longtemps que j'ai arrêté de faire mille pirouettes sur le trampoline, mais j'aime dormir dessus, à la belle étoile, sous une pile de couvertures, à l'abri des moustiques.

— J'ai gonflé tes pneus de vélo aussi.

— Merci, papa.

— J'suis content que tu sois ici.

— Moi aussi.

— Est-ce que ça va ?

— Je vais être correcte.

— Est-ce que le cycliste prodige qui ressemble à Kevin Bacon t'a fait encore de la peine ?

— Non. J'lui parle plus.

— Tant mieux…

— Je vais me coucher, j'pense. J'suis fatiguée.

— OK, ma Billie, je vais aller jouer à *Call of Duty* un peu.

— Mets pas le son trop fort.

— J'ai un casque maintenant, t'entendras rien.

Il vient m'embrasser sur le front et ferme la porte derrière lui. Je sors un vieux pyjama d'été de ma commode, le coton est doux et léger. Je m'installe sur mon lit et j'ouvre mon journal intime. Je suis inspirée, j'écris un début de poème. Sur Erik. Malgré moi.

T'es beau, tu me fais penser aux garçons dans les films qui parlent d'amour
Aux garçons compliqués qui ont le cœur à deux places en même temps
À ceux qui font de la peine aux filles trop souvent
T'es beau de partout, mais t'es sûrement parti pour toujours.

C'est rare que je fasse rimer mes poèmes, je ne sais pas si j'aime ça. Je recommence.

T'es beau à cause de beaucoup de choses
Tes yeux en amande sucrée, tes cheveux qui sentent le trouble
Ta cigarette qui emboucane la pièce
Tes souliers avec un trou au bout.

T'es beau à cause de beaucoup de choses
Ton œil mauve, ton grain de beauté spécial
Ton bras dans le plâtre
Ton t-shirt trop grand, tes jeans serrés juste assez.

C'est mieux comme ça. C'est plus mon genre de poésie.

Je continue de penser à Erik, mais je ne suis plus en colère, je suis mélangée. Il me manque. Je ne sais pas quoi faire. J'hésite entre le rayer de ma mémoire ou bien espérer que quelque chose se passe, que mon cœur soit assez courageux pour lui pardonner. Sûrement que Courtney lui ferait un *fuck you* et partirait en courant à la recherche d'un cœur moins compliqué. Mais moi, je suis loin d'être comme ça.

Je pensais avoir trouvé un garçon qui allait m'aimer fort pour longtemps, sincèrement.

Mon téléphone vibre, c'est Annette qui me texte.

Billie, t'es partie sans me dire bye ! J'ai tellement pleuré, j'suis déshydratée.

Je lui réponds tout de suite :

Je sais, je m'excuse. Longue histoire. J'avais besoin de voir papa. Je reviens dans quelques jours, je te raconterai. Maman a fait des clubs sandwichs de fou, y en a un pour toi dans le frigo. Je t'aime ma sœur.

Elle me répond avec une série de cœurs de toutes sortes de couleurs et deux petits bonshommes qui se tiennent la main (c'est nous deux).

Je ferme mon journal, mon téléphone, la lumière et me glisse sous mes couvertures.

Elles sont douces, plus douces que celles que j'ai à Montréal. Ou c'est peut-être ma peau qui s'ennuyait de ces draps-là. Je vais bien dormir, en tout cas.

Chapitre 8

La cuillère

Je me suis levée en même temps que mon père ce matin. Il était de bonne humeur, il n'a sûrement pas encore remarqué que j'ai décroché sa photo de nouveau couple. Je sais que ça va lui faire de la peine, mais c'était tellement maladroit de sa part, ça m'a mise mal à l'aise. J'ai l'impression que sa blonde s'est subtilement approprié notre maison et c'est trop tôt pour ça.

On a déjeuné ensemble au comptoir de la cuisine, l'un à côté de l'autre. Il lisait son journal, tandis que je finissais mon livre. Je l'ai terminé pendant ma deuxième tasse de café deux-laits-pas-de-sucre. La fin est tellement triste. Elle m'a chamboulée. Pour me consoler, je suis allée prendre l'air, j'ai sauté sur le trampoline et j'ai fait le tour du quartier à vélo comme quand j'étais petite. Je suis passée devant la maison de Juliette, devant le dépanneur où je m'achetais toujours une slush *king size*, devant mon école primaire, devant la fontaine qu'on remplissait trop souvent de savon à vaisselle pour qu'elle mousse à l'infini. On ne s'est jamais fait prendre; Juliette, Rosine et moi, on a toujours été très chanceuses. C'était notre rituel de fin d'année pendant tout notre secondaire.

Je suis revenue à la maison toute rouge, en sueur, après avoir pédalé pendant plus de deux heures, les cheveux dans le vent, le sourire aux lèvres.

Je sors de la douche. Ma belle douche rassurante qui sent bon. Toute mouillée et toute nue, les cheveux enroulés dans une serviette, j'observe les grains de beauté qui s'éparpillent sur mon corps. Je les analyse, je les compte. J'en ai sûrement mille sur les épaules, les bras, les mains, une dizaine sur le ventre, mille autres sur les deux cuisses et dans le dos. J'en ai même trois sur la fesse gauche et un sur mon lobe d'oreille droit.

Mon décompte est interrompu par la sonnette de la porte d'entrée. Je fige, j'ai toujours peur quand ça sonne à la porte et que je suis toute seule. J'imagine le pire: un tueur fou ou la police qui vient m'arrêter pour toutes les fois où j'ai rempli la fontaine de savon. J'attends trente secondes, sans bouger. La sonnette retentit encore. Je défais la serviette sur ma tête, j'enfile des petites culottes, des leggings et un t-shirt, je marche sur la pointe des pieds jusqu'à l'escalier, je descends les marches sans faire de bruit et j'essaie de reconnaître la silhouette à travers la vitre givrée de la porte d'entrée sans me faire voir.

Ça sonne encore, trois coups de suite.

Les tueurs fous sonnent plusieurs fois dans les films.

Puis j'entends la silhouette crier mon nom. Sa voix est douce. Je m'approche, colle mon nez dans la vitre. La silhouette dit:

— Billie, j'te vois. Ouvre!

C'est Erik! Je reconnais le timbre de sa voix, sa taille, sa carrure. J'essaie de démêler rapidement mes cheveux avec mes doigts, je pince mes joues pour les rougir et j'ouvre la porte. Mon cœur me fait mal tellement il bat rapidement.

— Allô, Billie!

Il est beau. Il porte un t-shirt vert forêt (ma couleur préférée), des shorts en jeans et des Vans rouges. Ses souliers sont neufs, propres, pas de tache, pas de trou au bout. Il mâche de la gomme, les muscles de ses joues se crispent, je suis fascinée à chaque fois. C'est con, mais c'est beau à voir.

— Comment tu sais où j'habite? T'es venu comment? T'as un char? J'*catche* pas!

Je sors de la maison et ferme la porte derrière moi. Je ne comprends rien. Mon cœur est ravi, ma tête a peur, les deux se chicanent pour prendre le contrôle de mes émotions.

— J'ai emprunté le pick-up de mon frère.

— Pis comment t'as fait pour me trouver?

— Facebook, c'est l'outil numéro un des grands espions.

— Hein?

— J'ai trouvé tes amies sur Facebook, Juliette pis Rosine... Je leur ai demandé ton adresse. Y m'ont trouvé *weird* sur le coup, mais j'ai pris le temps de leur expliquer. Y ont fini par me dire que t'étais pas à Montréal, mais ici. Sont fines.

Je pousse un long soupir qui ne veut pas dire grand-chose, je ne sais pas encore quoi penser. Je remarque qu'il n'a plus de plâtre.

— T'as pus de plâtre?

— Depuis ce matin...

— T'es-tu vraiment tombé en *skate*?

— Ben oui... Pourquoi tu me demandes ça?

— Je sais pas... Un mensonge en cache souvent un autre...

Il baisse la tête, honteux et un peu découragé, sûrement.

— J'te le jure. J'ai pogné une roche en descendant une côte. Un classique.

Je décide de le croire.

Il s'assoit sur la dernière marche de la galerie et me tend la main pour que je le rejoigne. Je m'installe à côté de lui, je me colle, nos cuisses se touchent. J'appuie ma tête sur son épaule, il joue avec mes doigts, chatouille la paume de ma main, puis la serre fort.

— J'suis venu te dire que j'suis amoureux de toi.

Je lève la tête et le regarde dans les yeux. Je suis confuse, surprise, énervée, un peu effrayée en même temps. Sans lâcher ma main, il enchaîne:

— C'est trop tôt pour te dire "je t'aime", faque j'ai décidé de te dire que j'suis amoureux de toi. C'est différent, moins intense...

— J'pensais que c'tait la même chose...

— C'est une étape avant. Je veux m'assurer que toi aussi tu *feel* pareil. C't'une affaire d'orgueil, là.

— Ah, j'comprends.

— T'es pas obligée de répondre tout de suite. J'suis un gars patient. Pis je t'ai fait de la peine. T'as le droit de pas être pressée.

Sa voix tremble un peu, il est nerveux, je sens sa main légèrement moite sur la mienne. Je le trouve beau dans sa maladresse, sa vulnérabilité, sa sincérité. Ça me donne envie d'être amoureuse, moi aussi.

— Erik, on va-tu manger une crème glacée?

— Juste si on se partage un *banana split*.

— *Deal.*

On monte dans le vieux camion de son frère, on ouvre grand les fenêtres, Erik me tend son téléphone pour que je choisisse la trame sonore de notre promenade. Je mets l'album *Illinois* de Sufjan Stevens, sa musique douce et mélancolique va bien avec comment on se sent. On roule longtemps, je lui fais faire des détours pour étirer ce beau moment, pour écouter toutes les chansons, pour qu'on puisse réfléchir chacun de notre bord. On ne parle pas ou presque, le soleil brille fort, ma petite ville est belle, calme, apaisante. Erik caresse ma cuisse en conduisant, ça me rappelle les nuages que Pierre dessinait sur mon genou, le soir de notre premier baiser. C'est un souvenir que j'aime particulièrement. Il me hante dans le bon sens celui-là.

On se stationne en face de la crèmerie, la terrasse est bondée de jeunes du quartier. J'aperçois déjà trois personnes qui allaient au secondaire avec moi. On commande notre *banana split* et on s'installe sur une petite table tout au fond, à l'écart de tout le monde, sous un parasol Coors Light très laid.

On mange avec une seule cuillère, on se la partage, c'est chacun notre tour. Entre nos bouchées glacées, on se donne des becs en souriant. Des vrais becs d'amoureux. Même si je n'ai pas encore décidé si je voulais l'aimer tout de suite après qu'il m'ait écorché le milieu du cœur.

C'est la première fois qu'on m'embrasse comme ça. Et que j'embrasse quelqu'un comme ça, devant autant de monde. C'est différent et pas stressant, c'est léger et pas compliqué. Nos bouches se suivent, rien n'est forcé, c'est juste facile à faire. Et quand j'ouvre les yeux au milieu d'un baiser, il les ouvre aussi, on est synchros, et je vois des étoiles dedans.

Un gars qui brille des iris pour moi, enfin. J'ai bien fait d'être patiente.

Mon téléphone vibre et ça nous interrompt. C'est Rosine qui m'écrit :

Paraît que t'es en train de frencher à la crèmerie !

Je lis le message à voix haute, regarde autour de moi et croise le regard de Charlotte, une fille du secondaire qui en avait toujours trop long à dire sur les autres. Elle me fait un signe de la main avec un sourire hypocrite. Je roule les yeux en guise de réponse.

Erik est impressionné.

— Les nouvelles vont vite en maudit, ici !

— C'tait pire au secondaire !

— On devrait s'embrasser encore plus, d'abord.

Il prend ma main, me tire vers lui, je me lève et m'assois sur ses genoux. On frenche. Comme si on était tout seuls sur la terrasse. J'ouvre un œil et Charlotte tapote sur son cellulaire. Je m'en fous. Je suis peut-être en train de tomber amoureuse, moi. En tout cas, je suis occupée.

Je regarde l'heure et mon cœur fait un bond. Il est près de dix-huit heures et mon père ne devrait pas tarder. Je n'ai pas envie de tout mélanger, d'inviter Erik chez moi, de devoir mettre des mots sur ce qu'on est l'un pour l'autre. Je n'ai pas envie de quitter Erik non plus ni de le faire attendre. J'écris donc à mon père que je ne serai pas à la maison pour souper, que je vais passer du temps avec d'anciens collègues du parc aquatique. Il me répond avec une suite de *thumbs up* et des bonshommes qui lancent des becs. Il s'améliore avec les émoticônes.

— Erik, on va-tu camper dans la montagne ?

— Hein ? Oui ! As-tu une tente ?

— Ouais. Une p'tite, là !

— Go ! J'ai peur de rien.

On remonte dans le camion, on s'arrête au dépanneur acheter du vin blanc dégueulasse, des jujubes, des nouilles Ramen et des revues à potins juste pour rire. On passe à la maison chercher la tente, deux oreillers, une lampe de poche, du linge chaud et un sac de couchage. Un seul pour qu'on puisse dormir collés. Je laisse un mot à mon père, lui dis que je vais rentrer tard et peut-être même dormir chez une amie.

La route jusqu'à la montagne me fait rêver. Je pense à tous mes étés, à mes folies d'adolescence avec mes amies, à mes angoisses et à mes grands moments d'extase. C'était simple. Mais je crois que j'ai le potentiel d'être encore plus heureuse aujourd'hui. J'ai confiance en moi. J'essaie en tout cas. J'ai vécu des déceptions qui m'ont rendue plus forte. On dirait que je me sens mieux équipée pour vivre ma vie de femme comme il faut.

On écoute une vieille chanson, *Honey and the Moon* de Joseph Arthur. La campagne s'est mise belle pour nous, on dirait. Le ciel est rose, le vent est doux. On passe devant un troupeau de vaches et je leur fais de grands signes en criant : « Allô les madames ! » C'est un rituel. Ça fait rire Erik, je suis contente. Il conduit avec une seule main, c'est sûrement un réflexe, il n'est plus habitué d'utiliser ses deux bras. Il prend soin de souffler la fumée de sa cigarette par la fenêtre.

Je l'observe et le trouve encore beau. Mais je me rends compte que je ne le connais pas vraiment. Il y a un petit vide en moi depuis notre conversation au parc. J'ai peur qu'il ait d'autres secrets, qu'il soit quelqu'un d'autre, finalement. J'ai froid tout d'un coup. Je monte la fenêtre et change la musique. J'ai envie d'écouter ma chanson préférée de Stars. Elle me rend nostalgique et me fait souvent pleurer, je l'écoute surtout l'été.

— C'est bon, cette toune-là, Billie ! C'est quoi ?

— *Your Ex-Lover is Dead...*

— Hein ?

— C'est ça le titre de la toune.

— Ah, OK.

Il lance son mégot de cigarette par la fenêtre. Je ramène mes genoux sur ma poitrine, j'y appuie ma tête, les yeux rivés sur lui. L'atmosphère est moins légère maintenant, mais c'est de ma faute. Je pense que lui ne sent rien. Tout ça se passe dans ma tête.

Ça ne peut jamais être simple, finalement.

Je suis agacée par mon humeur sombre, par mes inquiétudes et mes angoisses inutiles. J'ai la fibre dramatique depuis un bout. Ou alors, je suis simplement prudente. Pour éviter de me faire briser le cœur une deuxième fois.

On roule encore une quinzaine de minutes dans la campagne qui s'endort tranquillement et on rejoint la montagne. Elle est imposante, toute noire, presque épeurante. On monte, on monte, on prend de l'altitude, on suit l'étroite route qui mène à un endroit secret où l'on peut camper en paix. On bifurque sur un petit chemin de terre, puis on arrive enfin. Je reconnais l'immense chêne et le rocher en forme de sofa. Adolescentes, on installait toujours notre petite tente là, Annette et moi, pour se sauver de nos parents le temps d'un week-end. On mangeait de la réglisse pour souper et on se racontait des histoires d'épouvante. Mais on finissait souvent par redescendre en pleine nuit et dormir à la maison parce qu'on avait trop peur, finalement. On n'est pas des filles de plein air.

On monte la tente en silence. Erik s'arrête entre deux piquets pour m'embrasser le cou, les cheveux, la bouche ou les joues. Je me sens toute croche en dedans. Ses becs me plaisent, mais ils me donnent des frissons dans le dos. De mauvais frissons. On dirait que mon corps les rejette. Que ma peau ne reconnaît plus le doux de ses lèvres.

Je ne peux pas m'empêcher de l'imaginer avec *sa* Marianne. J'aimerais savoir si elle est plus fine, plus belle, plus drôle, plus petite ou plus grande que moi. J'aimerais savoir si elle a les cheveux noirs comme la nuit ou blonds comme ceux d'une princesse ou bruns comme n'importe qui ou roux comme les miens. Je me demande si elle pense à Erik en ce moment, si elle sait que j'existe, si elle aussi essaie de m'imaginer. Elle ne se doute sûrement pas qu'il est venu me retrouver chez mon père, qu'il m'a dit des mots d'amour et qu'il s'est réfugié dans la montagne avec moi.

On est loin de tous ceux qui pourraient nous en vouloir d'être ensemble.

Mais plus je pense à Marianne, plus je redoute qu'il m'embrasse encore. Je me mets à la place de cette fille et j'ai envie de pleurer, de lui poser un tas de questions. Si Erik peut briser le cœur de Marianne, il est capable de faire la même chose avec le mien. Et ainsi de suite. Les mauvais plis en amour, ça reste. Je suis le meilleur exemple: je me suis accrochée à Pierre malgré le fait qu'il soit le garçon le plus compliqué des environs, puis je me suis accrochée à Erik malgré le fait qu'il soit pris et mêlé, et compliqué aussi.

Ou c'est peut-être moi qui s'arrange pour que ça ne soit pas trop facile, inconsciemment.

Je me retiens pour ne pas partir en courant.

Je prends le temps de l'observer, de le regarder se salir les mains et se concentrer à construire notre « presque-nid-d'amour » pour la nuit. Je respire par le nez, les battements de mon cœur ralentissent, je me calme.

Je vais lui laisser le temps et me laisser le temps. On n'a pas à se presser de justifier nos comportements de vieux adolescents qui se lancent dans l'amour trop rapidement, n'importe comment.

La tente est montée, elle est toute petite et poussiéreuse. J'ouvre la porte moustiquaire et j'entre, j'étends notre sac de couchage bien au milieu, j'essaie de nous organiser un lit douillet. Erik me suit, il sourit et referme derrière lui.

— T'es belle, Billie. T'es la plus belle.

— Toi aussi, t'es le plus beau. Mais je m'ennuie de ton bras dans le plâtre.

Il m'embrasse fort, je me laisse tomber sur le dos, il est par-dessus moi et on n'arrête pas de s'embrasser. C'est bon, mais je m'essouffle, j'ai de la difficulté à respirer. Il glisse sa main sous mon t-shirt, il a de la corne aux mains, ça m'égratigne la peau. Je me dégage doucement, il s'arrête.

— Ça va ?

— Oui, oui… J'ai chaud. J'étouffe, en fait. C'est la tente pis l'altitude, sûrement.

— Veux-tu qu'on mange des Ramen ?

— Ouais, ça serait bon.

On sort et l'air frais m'apaise. Erik va chercher ce qu'il faut pour préparer notre repas en forêt : une casserole, un réchaud, des allumettes, deux sachets de nouilles sèches, une bouteille d'eau et du vin. Il fait chauffer le tout pendant que je sirote du blanc au goulot et feuillette une revue à potins qui parle des divorces les plus coûteux d'Hollywood. Ça me divertit. Je lis les articles à voix haute et fais rire Erik entre deux poffes de cigarette.

On mange lentement, on est en vacances. Le temps passe, on se raconte des anecdotes entre deux bouchées. On dirait que le soleil se couche au ralenti, il fait de plus en plus froid, je grelotte. Je sors mon téléphone pour voir si j'ai des nouvelles de ma sœur ou de mes amies, mais on est trop haut dans la montagne, trop creux dans le bois pour capter le réseau. Ça me fait un peu angoisser d'être aussi loin d'elles, de ne pas pouvoir leur parler.

J'ai les doigts gelés et le bout du nez froid. Erik insiste pour qu'on aille s'emmitoufler dans notre sac de couchage. On s'installe collés-collés dans notre cachette, les jambes entremêlées. Mon corps est détendu, c'est confortable, mais ma tête et mon cœur sont occupés à débattre. Ça m'empêche d'être apaisée par la présence d'Erik, par son bras autour de moi et par ses yeux pleins de tendresse. On commence à s'embrasser lentement, on s'applique. On fait ça comme des adultes, on n'est pas pressés, c'est bon, ça fait vibrer ma peau, on dirait. J'aimerais qu'on ne fasse que ça, qu'on se contente de nos lents baisers et des longues balades de nos mains sur nos corps, mais je sens qu'il en veut plus.

Je n'ai pas envie de faire l'amour ce soir.

Je voudrais qu'on en reste là et que ça nous suffise, qu'on s'endorme à force de trop s'embrasser et qu'on se réveille avec le soleil, avec le chant des oiseaux ou avec le bruit des feuilles qui se battent contre le vent.

C'est la première fois que je dois avouer à un garçon que je n'ai pas le goût. On dit quoi dans ce temps-là ? Il y a sûrement des phrases déjà faites qui existent pour ça.

J'essaie de ralentir, d'étirer le temps entre nos baisers, de ramener mes mains sur sa poitrine, loin de ses fesses, de ses cuisses, de tout ce qui pourrait l'inciter à continuer. Je suis mal à l'aise, je ne veux pas le blesser ni l'humilier. Je ne veux pas en faire tout un plat, mais je veux pas me forcer non plus.

Il remarque enfin mon corps plus tendu, mes yeux qui fuient son regard.

— Qu'est-ce qu'il y a, Billie ? T'as encore froid ?

— Non, non, j'suis bien. Tu me réchauffes.

— Ça va ?

— Oui...

Il se dégage un peu, me regarde tendrement et passe ses doigts dans mes cheveux mêlés. Il caresse ma joue aussi, c'est fin.

— Erik, j'pense que ça me tente pas de faire l'amour.

J'ai le souffle court, je sens tout de suite que mes mots l'inquiètent, je vois dans ses yeux qu'il a besoin que je le rassure. Je voudrais lui parler de Marianne, lui tirer tous les mots de la bouche pour qu'il réussisse à me convaincre que notre histoire n'est pas aussi fragile que la leur, qu'avec moi c'est différent.

Après ça, j'aurai peut-être envie de faire l'amour.

Mais je n'ai pas le courage d'aborder le sujet avec lui, j'aurais peur d'avoir l'air trop intense ou trop anxieuse ou trop possessive. Tout pour le refroidir, tout pour empirer l'état de nos cœurs.

— J'ai envie de toi. C'est juste que je me sens bizarre. C'est sûrement le vin blanc ou les Ramen.

— Ou les potins niaiseux...

Il sourit. Je respire mieux.

— Oui, peut-être.

— C'est pas grave, Billie. Pis j'avoue que c'est pas *full* confo pour faire l'amour.

— Dans un vrai lit, c'est mieux. Pis t'sais, je suis pas super habituée avec ça.

— Avec le camping ?

— Non... avec la sexualité, là...

Il m'embrasse doucement. Ça ne goûte même pas la cigarette, ça goûte lui et c'est bon.

— C'est correct. On s'habitue avec le temps. Pis quand on est en amour, ça aide pas mal aussi.

— Oui ?

— Oui.

— Comment tu sais ça ? T'es un gars, c'est le fun tout de suite pour toi.

— J'écoute les filles quand y jasent de ces affaires-là. Ça m'intéresse. Ça m'aide à vous comprendre.

C'est beau ce qu'il dit. Il est tellement moins mystérieux et fermé que Pierre, c'est agréable de l'écouter parler, d'avoir accès à sa pensée aussi facilement. Tout à coup, je me demande ce qui se passait dans la tête de Pierre quand il n'a pas voulu faire l'amour avec moi à Québec. Il était peut-être épuisé à cause de son entraînement. Peut-être que ses draps étaient sales. Ou qu'en me revoyant et en m'imaginant toute nue pour la deuxième fois, il a changé d'idée. Peut-être qu'il s'est fait briser le cœur, lui aussi.

En tout cas, moi, en ce moment, je ne veux pas faire l'amour et je ne sais pas vraiment pourquoi. C'est flou, comme un mélange de fatigue et de stress. Mon corps est crispé, je ne suis pas capable de me détendre, de me laisser aller, d'arrêter de penser à l'ex d'Erik, à sa peine, à ma culpabilité.

Finalement, je me défile assez facilement. On parle une bonne heure, on rit surtout, il me chatouille, je crie, je réveille les animaux qui dorment dans la forêt. On s'endort en cuillère, j'aime ça.

C'est la première fois que je dors en cuillère avec un garçon.

C'est spécial. Étonnamment confortable.

Chapitre 9

Cœur de slush

Le lendemain matin, je me réveille en premier et prends une longue marche dans la montagne. Je vois des araignées, des chenilles, une marmotte et deux couleuvres dégueulasses. Je crie fort et fais croasser trois corbeaux. C'est Erik qui aurait été content.

C'est rare que je me retrouve seule en forêt. J'ai un peu peur même si on est en plein jour, mais j'aime ça aussi.

Lorsque je reviens à notre campement, Erik est déjà en train de démonter la tente. Ses yeux sont boursouflés, ses cheveux tous mêlés ; je suis contente d'être avec lui.

Sur le chemin du retour, on s'arrête au dépanneur. On a envie de café et de chocolat. Je l'attends dans le stationnement, c'est long, sûrement qu'il hésite entre nous acheter quelque chose de *fancy* ou juste une Caramilk. Il fait déjà chaud, le soleil brille fort, ça ressemble à l'été, la saison des glissades d'eau commence dans quelques semaines. Ça fera bizarre de ne pas y travailler, mais je n'ai vraiment plus envie de siffler après des petits tannants qui éclaboussent les madames dans la piscine à vagues, finalement.

Je croise les doigts pour que la Vie m'offre une job d'été pas trop fatigante en ville... Je vais sûrement finir par distribuer des échantillons de parfum qui puent au centre-ville.

Je suis affalée dans le camion, les jambes qui pendent à l'extérieur par la fenêtre grande ouverte. Des gens vont et viennent, la clochette sonne à chaque fois que quelqu'un passe la porte du dépanneur, c'est agressant.

Au fond du stationnement, je vois un grand gars qui barre son vélo. Ça pourrait être n'importe qui, tout le monde se promène sur deux roues ici. Mais je reconnais tout de suite les longues jambes musclées de Pierre, ses cheveux brillants et ses bras déjà bronzés par l'été qui pourtant ne fait que commencer. Les points de suture que j'ai sur le cœur se mettent à se découdre. Je suis engourdie d'excitation, gonflée de fierté. Je voudrais qu'il se retourne, qu'il lève les yeux vers moi, qu'il reconnaisse aussi mes longues jambes. Mais il est trop concentré sur son vélo qui coûte cher et qui lui fait gagner toutes les médailles du monde.

Je voudrais qu'il me voie dans le camion, qu'il remarque que je suis du côté passager et que j'attends quelqu'un, un gars, évidemment. Je voudrais que son regard croise celui d'Erik, qu'il nous observe de loin, qu'il soit témoin d'un de nos baisers, au moins. Je voudrais que ça lui brûle en dedans, qu'il soit jaloux. Mais il est loin et ses énormes écouteurs l'empêchent d'entendre la musique dans le camion, ma toux insistante et le klaxon que j'ai accroché sans-faire-exprès-promis-juré.

Erik fait sonner la clochette en sortant du dépanneur. Il a les mains pleines de Kit Kat, de Caramilk, d'œufs Kinder Surprise et de jujubes en forme de dentiers.

J'aurais voulu qu'Erik tienne une slush *king size* bien frette entre ses doigts. Une slush à la framboise bleue. Le temps de quelques gorgées, le temps de colorer ma langue en bleu foncé, j'aurais pu me rappeler les frissons, la chair de poule qui envahissait ma peau chaque fois que Pierre posait ses yeux bleus sur moi.

J'aime la tendresse d'Erik, mais j'aimerais aussi continuer d'avoir des éclairs dans les joues à cause de Pierre. Il goûte tellement surette. Je sais que c'est con de vouloir mélanger deux garçons comme ça. Mais c'est plus fort que moi.

Si Erik savait tout ce qui s'est passé dans ma tête le temps d'une visite au dépanneur, il se sauverait, il me laisserait ici avec ma nostalgie de glissades d'eau, de vieil amour qui traîne et de boisson glacée.

Il lance les chocolats et les bonbons sur son siège par la fenêtre et reste appuyé contre la portière pour fumer une cigarette. Je lui envoie un bec soufflé avant de me retourner pour vérifier si Pierre nous regarde. Mais il n'y a que son vélo. Je le cherche, regarde autour, ramène mes jambes dans le camion, passe ma tête par la fenêtre. Rien. Je sors, fais le tour. Erik me prend par la manche de mon t-shirt et m'attire dans ses bras. Je m'y blottis au cas où. Je reste là tandis qu'il fume sa cigarette, j'ai le nez fourré dans son coton ouaté, je fais semblant d'être bien.

Et Pierre réapparaît avec ses yeux, sa bouche, ses jambes, ses bras, ses mains dans les poches, son oreille percée, ses Converse (blancs) et sa magie capable de briser des filles.

Ça me rentre dedans. Il est tout proche. Il brille fort. Il sent le sport, le détergent à linge et le pneu de vélo. Il sent le cycliste prodige. Il est dans sa bulle, il regarde loin devant, la tête haute, ses écouteurs accrochés autour du cou.

Bien lovée dans les bras d'Erik, je lâche un « Hey, Pierre » nonchalant. Il s'arrête à notre hauteur, on dirait qu'il se réveille d'une sieste après une longue balade à vélo. Ses yeux se plantent dans les miens, il ne dit rien, puis il remarque les bras autour de moi et la fumée au-dessus de nos têtes.

— Hey...

Il est surpris, mais c'est subtil. Je le sais parce que je le connais. Il est doué pour garder ses émotions emprisonnées loin en dedans de lui. C'est un champion.

Erik jette sa cigarette par terre et souffle son dernier nuage de fumée vers le ciel. Il s'avance vers Pierre avec le sourire et lui tend la main pour être poli. Parce que dans sa tête, c'est sûrement mon cousin ou un ami du secondaire ou l'ex de ma sœur ou le fils d'un voisin ou un ancien collègue du parc aquatique. Il ne s'imagine pas que ce Pierre-là a occupé mes pensées tellement longtemps que j'ai le cœur très magané. Que c'est lui qui a touché à mon corps au complet en premier. Que souvent encore, le soir tard avant de m'endormir, je pense au bleu de ses iris et à sa bouche qui goûtait tellement bon. Et qu'une minute plus tôt, ce gars-là a réussi à me donner les meilleurs frissons du monde, sans rien faire, sans rien dire, sans même me voir.

Tous deux se serrent la main comme des hommes, ils se regardent dans les yeux pendant que je gaspille ces secondes-là à me demander si Pierre a mal en dedans, s'il a envie de me prendre par le bras, de m'installer sur son guidon et de pédaler haut dans la montagne pour qu'on se retrouve loin des autres, et surtout loin de celui qui est capable de m'aimer en ce moment.

Ils se lâchent la main et se disent les mots qu'il faut, genre « moi, c'est Pierre », « moi, c'est Erik », « enchanté », « ouais », « hey, y fait beau », « *yes* », « bonne journée ».

Je vois tout embrouillé et j'ai envie de savoir ce qui se passe dans l'esprit de Pierre. Il me fait un signe de la main. Je sors de ma bulle, lui souris et marmonne un « Bye, Pierre » qui sort tout croche. Puis, il ouvre la bouche et prononce des mots que je reçois comme un coup de poing dans le ventre :

— Bye, Billie-Lou !

Et il cligne de l'œil gauche, ça crée une étincelle entre deux de ses jeunes rides. Erik fronce les sourcils et me regarde.

— Billie-Lou ?

Je ne réponds pas, ça serait trop long à expliquer, trop risqué.

Billie-Lou, Billie-Lou, Billie-Lou. C'est moi, ça. C'est moi pour lui et pour personne d'autre. On est les seuls à savoir ça. Je reste là avec ses mots, avec mon doux surnom, comme un indice de comment il se sent, peut-être.

Pierre disparaît sans que je puisse rajouter quoi que ce soit. Erik ouvre la portière, ça fait un bruit d'enfer, il monte, sort un paquet de gomme, en lance une dans sa bouche et mâche, mâche, mâche. Je ne bouge pas. Mon corps est bien où il est. On dirait qu'il veut rester là pour attendre que Pierre revienne. Je voudrais le voir ressortir du dépanneur, sourire en m'apercevant, soulagé que je l'aie attendu, que je sois restée là au cas où.

Mais Erik démarre et ça me fait sursauter. Je fais le tour, m'installe côté passager et ferme les yeux jusqu'à ce qu'on soit loin du dépanneur.

Loin de Pierre et des machines à slush.

— Ça va, Billie ?

Erik baisse le volume de la musique. Il partage son attention entre la route et mes yeux mi-clos.

— J'suis fatiguée... Mal dormi. J'suis pas *full* camping.

— On peut faire une sieste en arrivant chez vous...

J'aime les siestes, dormir est une de mes activités préférées. Et j'ai goûté au sommeil en cuillère. C'est sûrement l'une des choses les plus confortables. Encore mieux qu'un hamac ou qu'un nuage. Mais là, en ce moment, j'ai envie d'être toute seule.

De toute façon, ça me fait drôle d'imaginer Erik dans la maison de mon père, dans ma chambre d'enfant surtout, entre mes draps fleuris de princesse. Il me semble que cette pièce-là devrait rester à l'abri des garçons. Surtout, j'aurais peur de croiser mon père et qu'il nous pose toutes sortes de questions polies pour éviter un malaise. En lui présentant Erik, j'aurais l'impression de lui montrer un côté de moi que je préfère garder secret pour un moment encore. Il n'y a pas si longtemps, il m'a vue pleurer à cause de Pierre. Il ne comprendrait pas. Les papas sont souvent perdus dans nos histoires. Quand on est presque une femme, on complique nos sentiments au quotidien et c'est dur à suivre.

— Mon père va être là… J'pense que j'ai l'goût de passer du temps juste avec lui… Ça fait longtemps.

Je lui offre un petit sourire pour qu'il ne soit pas vexé. Je veux qu'il s'en aille.

— OK. J'comprends.

Il s'allume encore une cigarette et me conduit jusque chez moi. Je prends le temps de vérifier si mon père n'est pas installé sur la véranda à lire le journal ou à m'attendre comme il le faisait souvent, mais il n'est pas là. J'embrasse Erik avec fougue pour ne pas le laisser partir avec le souvenir de mes yeux à moitié fermés et de ma fausse fatigue. Il me dit :

« On s'voit en ville », je lui réponds : « OK, sois prudent » et lui fais de grands signes jusqu'à ce qu'il disparaisse en tournant le coin de la rue. Il klaxonne, je l'imagine sourire, ça me déculpabilise.

J'entre dans la maison et mon père m'attend dans le salon avec vue sur la rue, vue sur la scène du baiser entre Erik et moi. J'ai presque honte, c'est sûr qu'il nous a surpris en train d'échanger notre salive dans un camion.

— Billie...

Sa voix est grave.

— Allô, papa ! Ça va ?

— Correct... J'ai remarqué que t'as ajouté ta touche à la nouvelle déco.

Mes yeux se remplissent d'eau, je n'assume plus du tout mon geste un brin méchant devant mon père blessé. Je vois la photo qui repose sur le sol, je me trouve idiote et égoïste.

— J'm'excuse... Ça m'a pris par surprise, c'est tout.

— Je comprends. Les choses changent. Mais viens m'en parler dans ce temps-là. J'essaie fort d'avoir une belle vie moi aussi.

Des larmes roulent sur mes joues, mon père s'approche et me serre fort.

— Je vais la rencontrer, mais pas tout de suite.

— Quand t'es prête.

— Tu peux raccrocher la photo.

— Oui, sinon ça fait un gros trou. Et je me trouve beau dessus.

Il a la mine moins grave, je respire mieux, j'arrête de pleurer.

— C'est vrai que t'es beau. T'as l'air heureux.

— On est du monde trop chanceux pour gâcher ça en étant triste, Billie.

Il me regarde avec son grand sourire de papa tendre et poursuit.

— Dans un autre ordre d'idées... C'est qui le jeune homme qui t'a raccompagnée ?

J'aurais préféré continuer de parler de la beauté de la vie, mais je ne peux pas lui cacher grand-chose.

— Son nom c'est Erik avec un k, pis il est vraiment fin, tu l'aimerais. Il fume, mais c'est quasiment son seul défaut, promis.

— Il voulait pas rentrer ?

— C'est moi qui voulais pas. J'suis fatiguée.

— Une autre fois, d'abord ?

— Sûrement. Je sais pas. Peut-être.

— Pour être honnête, je te suis pas...

— C'est normal.

Il me serre encore dans ses bras confortables de papa-qui-sera-toujours-là.

Je monte à l'étage et saute sur mon lit pour appeler Annette. Elle répond au premier coup. Sa voix est douce, elle a l'air calme. Elle a peut-être eu le temps de se guérir de Charlo. On jase de n'importe quoi, j'essaie de lui poser des questions sur sa relation qui bat de l'aile, sur l'état de sa peine, mais elle reste en surface et change rapidement de sujet. Je n'insiste pas, mais ça m'agace. Elle déblatère sur sa nouvelle job dans un magasin de linge cher, sur ses nouvelles sandales qui lui râpent les talons et sur son amie Raphaëlle qui a toujours l'air bête.

Je lui raconte tout. Annette s'énerve au bout du fil quand je lui décris Erik, mais elle se fâche carrément quand je mentionne la pauvre Marianne et mes remords. Elle veut m'éviter une autre grosse peine, c'est normal. Lorsque je lui dis qu'on est tombés sur Pierre au dépanneur, elle n'en revient pas :

— Y est en ville ?

— Ça a l'air...

— Y était pas à Québec ?

— Oui... Mais y est peut-être revenu pour l'été...

— Ça serait l'fun qu'y reste loin, loin, loin ! Sinon ça te *fucke* toute pis ça t'empêche de tomber en amour. Y est fatigant !

Elle a raison. Je me sentais déjà toute croche et la présence surprise de Pierre aujourd'hui n'a vraiment pas aidé ; elle m'a plutôt nui. Repenser à son visage, ses yeux, ses cheveux, son corps et sa voix qui prononce mon nom m'empêchent de me sentir légère et amoureuse d'Erik, surtout.

Pierre me fait douter, angoisser. J'ai peur de passer à côté de quelque chose. À côté de lui. Tout ça parce que j'ai encore espoir que le blond médaille-olympique-deux-piasses-en-chocolat me voie comme une vraie femme. Qu'il veuille que je sois sa blonde. Qu'il veuille m'aimer pour mes cheveux mêlés, mes taches de rousseur, mon corps en forme de brindille et mes yeux amoureux.

Oui, j'y pense encore. Même après tout ce temps. C'est puissant. Et pathétique. Je ne sais pas si je dois me battre pour l'oublier ou continuer de me laisser hanter. Au cas où il changerait d'idée.

— Billie, t'es toujours là ?

— Oui, oui ! S'cuse. J'réfléchissais.

— À quoi ?

— Aux hommes de ma vie...

Elle soupire, mais je sais qu'elle sourit à l'autre bout du fil. Ma sœur sait bien que je suis une grande, grande romantique, que mon cœur a souvent besoin d'attention, que j'ai toujours envie d'être amoureuse.

Parce que même si ça prend toute la place, même si ça me fait souvent pleurer, c'est le plus beau sentiment du monde.

— Là, Billie, fais pas souffrir le beau Erik juste à cause de l'autre con.

— C'est vrai qu'y est con.

— Il l'a toujours été.

— Ouais. Depuis sa naissance, sûrement.

— Ouais. Un éternel con.

On termine notre jasette en riant. Mais je crains qu'elle me cache quelque chose ; elle est trop évasive quand je lui pose des questions sur Charlo. Changeant de sujet, elle me fait promettre de réfléchir comme il faut, de prendre le temps d'analyser mes sentiments. Elle me conseille d'oublier que Pierre existe encore et de ne pas passer à côté d'Erik avec un k.

Ça tourne dans ma tête.

Pierre. Erik. Pierre. Erik. Pierre. Pierre. Pierre. Pierre.

Fuck.

Je raccroche. J'ai chaud.

Je m'étends sur mon lit. Je respire par le nez. Ça tourne encore.

Les larmes me montent aux yeux, elles roulent sur mes joues, je renifle fort, je pleure fort.

Parce que je suis encore accrochée à Pierre.

Parce que mon cœur n'apprend pas.

Parce que la tendresse d'Erik ne me suffit pas.

On frappe à la porte.

— Billie, tu pleures ? Est-ce que je peux entrer ?

Je me redresse, j'essuie mes larmes, j'essaie de me sécher les yeux.

— Oui, oui, tu peux entrer, papa.

Il entre, s'assoit à côté de moi sur le lit et me prend la main. Je pleure plus fort.

C'est niaiseux de se lamenter pour deux garçons en même temps.

Entre mes hoquets, je lui parle d'Erik, de son appartement réconfortant, de son végétarisme gentil, de ses mots doux, de ses bonnes intentions. Je fais à peu près le même discours qu'à ma mère, mais en d'autres mots, parce que mon père aime que je raconte les choses de façon plus poétique. Je lui parle aussi de Pierre et des va-et-vient qu'il fait dans ma vie, de ses passages en coups de vent, de ses yeux qui me font mal en dedans. Tout le temps.

— Tu sais, Billie… Tu vas finir par savoir quoi faire. Tu le sais sûrement déjà, mais tu es trop triste pour t'en rendre compte.

— Le sais-tu, toi ? Tu pourrais me le dire…

— Tout ce que je sais, c'est que Pierre est là pour rester. C'est plus fort que toi. Et c'est correct.

Je n'arrête pas de pleurer. Je suis découragée.

— C'est vraiment con !

— C'est pas con… C'est ton premier amour.

Il a raison. Pierre ne s'en ira jamais vraiment de ma tête. Il restera le plus grand souvenir de mon adolescence. Ça me coupe le souffle de comprendre que je ne guérirai peut-être jamais complètement. Ça me fâche aussi. Et j'ai peur.

Mon père me frotte le dos et mes larmes finissent par sécher.

— On commande-tu de la pizza, papa?

— Ça te rendrait heureuse?

— Le temps de manger cinq pointes, oui.

Il se lève et sort de ma chambre. Il semble rassuré et je le suis aussi. Je me sens un peu plus légère. J'ai bien fait de tout lui raconter. Mais une question me brûle les lèvres.

— Papa?

— Oui?

— C'est qui, pour toi, ton premier amour?

Il revient sur ses pas et soupire en frottant sa barbe de quelques jours.

— C'est ta mère.

— Ça veut-tu dire que tu vas l'aimer toute ta vie?

Ses yeux se mettent à briller. Je crois que c'est à cause de l'eau salée qui les remplit doucement. Il pointe son cœur avec son index.

— Ça veut dire qu'elle va rester ici longtemps.

Il n'est pas encore guéri, lui non plus. Et ça, ça me blesse encore plus que mes petites peines de jeune femme mêlée. Un père qui s'en vient vieux et qui a le cœur en morceaux, c'est difficile à avaler.

Pendant quelques secondes, je repense à ma mère et j'ai envie de la détester encore un peu. Mais j'ai dix-huit ans et je travaille fort pour devenir une femme forte et fine et fière. Ça serait dommage de gaspiller tous mes efforts en rancune.

Chapitre 10

Lèche-vitrines

Après avoir englouti cinq grosses pointes de pizza hawaïenne (ma préférée), j'ai dormi douze heures en ligne en rêvant à toutes sortes de drames étranges. Je me rappelle que je pleurais beaucoup, sans cesse, pour tout.

Je suis épuisée d'avoir été triste si longtemps. Comme si le sommeil avait oublié de m'apaiser pendant la nuit. Après le déjeuner, mon père vient me reconduire jusqu'à Montréal. On n'a pas passé assez de temps ensemble, mais on compte sur la route pour jaser. On roule les fenêtres baissées pendant un peu plus d'une heure, le vent dans les cheveux, avec le soleil qui fait plisser nos yeux. Je lui fais découvrir mes nouvelles chansons préférées, il les aime toutes, ça me fait sourire de l'imaginer les réécouter tout seul de son bord.

Ça me rend fière.

Dès que je mets les pieds dans l'appartement, Annette me saute au cou. Ses yeux sont encore tout gonflés, rouges et humides. Elle n'a pas vraiment arrêté de pleurer pendant ce long week-end, finalement. Ma mère m'attend avec du café et des pâtisseries. Je la serre fort dans mes bras même si la confession de mon père me fripe encore le cœur.

Entre deux grosses bouchées d'éclair au chocolat, ma sœur se met à parler. Elle préférait tout me dire de vive voix. Ma mère et moi on écoute en silence, même si en dedans on est fâchées noir après Charlo.

Il est con. Comme Pierre. Il change d'idée toutes les heures juste pour s'amuser, pour créer du drame, pour jouer avec les sentiments de ma sœur plus fragile qu'il pense.

Nous, on veut juste vivre de belles choses, briller des yeux, rire aux éclats et rêver d'un quotidien saupoudré de confettis. C'est rien de compliqué. Mais c'est trop pour eux. Pour l'instant. Ou pour toujours. On verra.

Une lettre m'attend dans ma chambre, sur mon coussin en forme de talon haut.

Erik est passé chez moi. Je me demande ce que ma mère a répondu quand il a sonné, si elle s'est posé toutes sortes de questions, si elle a repassé dans sa tête les points de notre liste de critères, si elle a deviné que je suis mêlée. Je me demande aussi s'ils ont jasé un peu pour être polis. Peut-être qu'il voulait simplement déposer la lettre sans se faire voir en espérant que je tombe dessus à mon retour de la campagne. En tout cas.

Je la lis avec beaucoup de larmes dans les yeux.

Salut Billie,

Je viens d'arriver chez moi et je m'ennuie. C'est pour ça que je t'écris.

J'suis pas un poète, mais j'suis amoureux, ça va sûrement m'aider un peu.

Quand je suis avec toi, je me sens cool pis invincible. Des fois, je me demande pourquoi tu perds ton temps avec un gars qui fume autant. Mais j'suis content que ça te dérange pas trop. Un jour, je vais arrêter, promis.

Depuis que je te connais, je souris plus souvent qu'avant. Je souris quand tu me parles, quand tu contes une joke, *quand tu me regardes dans les yeux, quand t'es dans la lune.*

Tes lèvres ont la meilleure saveur pis c'est fou quand on fait l'amour.

Tu me diras si je fais quelque chose de pas correct. Parce que je veux que t'aies le goût aussi. On a le goût, quand on est en amour. Pis j'espère que tu l'es. Ça serait plate sinon.

Tu sens les fleurs pis aussi un peu la chandelle. J'trouve ça awesome. *On va-tu se baigner à la piscine publique ou faire un pique-nique sur le Mont-Royal ?*

Erik

J'ai de la difficulté à avaler, j'ai les mains moites, je respire fort, ça me serre la poitrine d'imaginer Erik m'écrire ces mots-là, chez lui, à la hâte.

Il est amoureux.

Moi, j'ai décidé que je ne l'étais pas. Ça s'est fait spontanément, en traversant le pont Jacques-Cartier. Je regardais la ville, les tours, le ciel, les bateaux, les nuages aussi, et j'ai su que mon cœur ne battait pas assez intensément pour lui. Je pense à son corps et ça m'intimide, je pense à ses yeux et j'ai de la difficulté à apprécier les étoiles dedans, je pense à sa voix et aux beaux mots qu'il a tant de facilité à me dire et ça m'effraie.

L'euphorie amoureuse ne me vient pas naturellement parce que mes doigts voudraient toucher un autre visage que le sien. Ma peau se collerait mieux à celle d'un autre, je crois. À celle de Pierre ou pas. On verra.

Je n'ai jamais vraiment eu de chum. Je ne me suis jamais investie dans une relation aussi sérieuse, aussi dense. Quand j'ai rencontré Pierre, je rêvais d'être sa blonde, je nous imaginais marcher main dans la main, nous arrêter pour boire ma slush préférée dans un dépanneur, rire aux éclats, attirer l'attention tellement on s'aime, tellement on est beaux, tellement on va bien ensemble. Je nous voyais vivre au même rythme, nous admirer l'un l'autre, nous encourager à briller.

J'aimais penser qu'un jour on serait ce couple-là, qu'on nous appellerait peut-être *les amoureux prodiges*. Comme un titre de film qui sonne grandiose. J'aimais aussi penser que notre histoire m'inspirerait un roman plein d'espoir qui finit bien, qui dépeint l'amour moderne comme quelque chose de possible, de sain et de pas trop difficile.

Quand je m'imagine avec Erik, je ne vois rien de tout ça. Je reçois ses «je suis amoureux de toi» comme des ultimatums étouffants. Je le trouve magnifique des pieds à la tête, du bout de sa cigarette jusqu'à ses espadrilles trouées, mais il ne me fera jamais écrire un livre. Et je pense qu'à mon âge, c'est important de me laisser tomber dans les bras d'un gars capable de me surprendre et de me faire faire des choses grandioses.

Plus j'y pense et plus je comprends que je m'essouffle à essayer d'être heureuse avec un garçon, comme si c'était la seule façon d'être heureuse pour vrai. Tout à coup, je voudrais m'émerveiller pour autre chose. En même temps, c'est tout nouveau pour moi. Ça m'excite et ça m'inspire de devoir jongler avec des sentiments comme ceux-là. Je ne peux pas m'empêcher de m'égratigner le cœur.

Au fond, chercher l'amour dans les rues de la ville, c'est une belle activité. Je vais me laisser porter et essayer de ne pas trop m'inquiéter. Prendre ça à la légère, ralentir mes élans, m'empêcher d'avoir comme objectif estival d'être la blonde de quelqu'un à tout prix.

Je pourrais me découvrir une nouvelle passion, me mettre à la poterie, faire du bénévolat, m'occuper de mes amies et prendre soin de notre trio. Je pourrais aussi faire des clins d'œil aux garçons que je trouve beaux sans m'inventer des vies avec eux. Je vais laisser madame la Vie choisir pour moi ce qui me rendra heureuse.

Penser comme ça me calme. Je vais relaxer. Arrêter d'être obsédée par ma capacité d'aimer. Dédramatiser. Me déculpabiliser. Avoir dix-huit ans tout simplement. Apprendre à m'aimer sans l'aide des mots doux des autres.

Après avoir roulé dans mon lit une bonne heure et repassé tous nos moments dans ma tête, de la balade en *skateboard* au *banana split* et au camping sauvage, je lui écris à mon tour.

Allô Erik,

J'ai lu ta lettre dix fois de suite. Tu me fais sentir comme la plus belle fille du monde, même si à notre âge, c'est dur de s'aimer pour vrai.

Quand on est en voiture, tu conduis super prudemment ; quand je te raconte une joke *plate, tu m'écoutes et tu souris ; quand on mange une crème glacée, tu me laisses la dernière bouchée ; quand j'ai froid, tu fais tout pour me réchauffer. C'est fou quand j'y pense. Tu fais tout ça pour qu'on apprenne à s'aimer, pour que je te fasse confiance.*

Mais je suis pas capable de tomber en amour. C'est trop gros pour moi. Je suis pas assez forte pour être la blonde de quelqu'un en ce moment.

Au moins, c'est l'été, le soleil est tout le temps là pis la ville est belle. On va survivre, j'suis sûre. J'espère que tu m'haïs pas.

T'es beau.

Billie

Je me trouve paresseuse. J'aurais pu attendre encore pour voir si mon cœur allait changer d'idée. Ou faire des efforts pour apprendre à l'aimer. En même temps, je n'ai pas envie de lui écorcher l'amour-propre, de jongler avec ses sentiments de grand tendre, juste au cas où. Je vais aller déposer ma réponse dans sa boîte aux lettres, lui donner le temps qu'il faut pour la lire, pour y réfléchir, pour me détester un peu, puis me pardonner.

En écrivant cette lettre, je pensais beaucoup à mes parents, aux amoureux qu'ils ont été, à ce qu'ils sont devenus aujourd'hui. À force de réfléchir, de penser fort à Erik, de m'imaginer être sa blonde et de me sentir toute croche, on dirait que je comprends un peu mieux ce que ma mère a vécu.

Être restée auprès d'Erik, j'aurais sûrement fait comme elle. J'aurais fini par partir, moi aussi. Pour me retrouver. Pour réapprendre à aimer. Pour me sentir bien dans ma peau de femme. On se ressemble beaucoup toutes les deux. On ne peut tout simplement pas s'empêcher d'écouter notre cœur. Quand il nous manque quelque chose, on agit.

Si ma mère était malheureuse, elle a bien fait de se sauver un peu. Ça prend du courage pour se poser toutes ces questions-là. Alors j'ai décidé que je l'admirais ma mère, que je la comprenais. Mon père l'a marquée à jamais aussi, c'est inévitable. Et au fond, ne jamais s'oublier, c'est peut-être la plus grande preuve d'amour.

Un jour, je vais lui écrire une lettre pour lui exprimer tout ça.

♡ ♡ ♡

Les rues sont bondées, je me promène en robe d'été à travers les kiosques dans une vente trottoir. Je magasine, rougis au soleil, fais des sourires aux passants, flatte tous les chiens que je croise. Quand je vois un saint-bernard, mes yeux se remplissent d'eau, c'est plus fort que moi.

Je fais du lèche-vitrines, un pied sur le *break*. Je ne cherche rien en particulier dans les yeux des gars qui déambulent dans la rue. J'évite de quêter de l'amour et des frenchs avec mes yeux.

Je n'ai pas envie de remplacer Erik ou Pierre tout de suite. Je vais m'accrocher à mes souvenirs pour mieux passer à travers ma petite solitude.

L'amour pour de vrai, être la blonde de quelqu'un, c'est intimidant. S'occuper du cœur d'un autre, c'est du travail et c'est dangereux par bouts, je pense. Parce qu'il ne faut pas s'oublier là-dedans.

J'ai la vie devant moi pour me laisser aimer, pour partager mon quotidien, pour tomber tête première en amour, pour ébranler mon cœur dans le bon sens. Pour l'instant, le soir, je rêve éveillée à des garçons aux cheveux de toutes les couleurs, je fantasme sur le serveur du café en bas de chez nous comme sur le gars qui jogge dans le parc ou sur le barman qui ressemble à un croisement entre Johnny Depp en pirate et l'acteur principal dans *Twilight*, même s'il m'énerve un peu.

J'ai le temps.

Je me suis laissée charmer trop vite par Erik. Je me suis énervée, j'ai été maladroite et impatiente d'effacer Pierre de ma vie avec du *liquid paper* qui fait disparaître les grosses cicatrices. Comme si Pierre m'avait tatoué ses mots doux partout sur moi, et que la peau me brûlait encore.

Mon père a raison. Mon premier amour ne disparaîtra pas. Il faudrait que je m'habitue tout de suite, sinon je vais m'épuiser à tenter de fuir ma nostalgie ou gaspiller mes jeunes années à m'ennuyer d'un amour qui m'a fait plus de mal que de bien.

C'est l'été, ma sœur est mêlée, mon père a une blonde, ma mère ne se tanne pas de donner des cours de Zumba, mes deux meilleures amies apprennent à faire du ski nautique tous les week-ends.

Je pense que c'est le temps de me bâtir une vie d'adulte. Ça doit être ça le gros défi, être capable de s'endurer, se faire sourire soi-même, se lever le matin pour accomplir quelque chose sans avoir besoin de séduire un garçon ou se faire dire qu'on est belle à tout bout de champ.

Je vais travailler là-dessus.

Mon téléphone vibre, je le sors de ma poche, c'est Pierre, je reconnais son numéro. Je grimace, mon cœur reste calme et ça me rend fière.

Billie-Lou, c'était cool de te croiser l'autre jour au dep. C'était qui le gars avec toi ? On se voit-tu ?

Il doit se sentir seul lui aussi, mais il n'a sûrement pas pris autant de temps que moi pour analyser son inconfort et sa nostalgie. Je l'imagine un instant rouler vite dans une côte de la montagne avec une larme qui part au vent.

Je lui réponds dans un élan :

Non, on se verra pas. Je te souhaite d'autres médailles d'or, par exemple.

Je range mon téléphone, marche la tête haute, regarde le soleil droit dans les yeux pour essayer de profiter du ciel d'été le plus possible. Je passe devant une pâtisserie, je la trouve jolie et ça sent bon, alors j'entre et je fais sonner la sonnette au comptoir. Une dame m'accueille avec de la farine sur le bout du nez, ça me charme, je fouille dans le fond de ma sacoche et j'en sors la toute dernière copie fripée de mon curriculum vitae. Je l'ai aspergé de mon parfum, ça sent encore juste assez. C'est un peu intense, mais je voulais y mettre du mien le plus possible. Elle le consulte et semble sceptique, mais ses yeux de mamie gâteau me rassurent.

— As-tu déjà travaillé dans les desserts, ma belle fille ?

— Non, juste dans des glissades d'eau, mais je suis faite forte pis j'ai la dent sucrée.

Remerciements

Un merci spécial à Juliette Gosselin, Maggie Cabana, Marie-Charles Pelletier, Andréa Hooker, Alex Nevsky et Andréane Beauchesne.

Table des matières

Suivez-nous

Achevé d'imprimer en février 2016
sur les presses de l'imprimerie Marquis-Gagné
Louiseville, Québec